신입사원으로 살아남기

신입사원으로 살아남기

발 행 | 2024년 6월 21일
저 자 | 나준규, 조대용
펴낸곳 | 주식회사 부크크
출판사등록 | 2014.07.15(제2014-16호)
주 소 | 서울특별시 금천구 가산디지털1로 119 SK트윈타워 A동 305호
전 화 | 1670-8316
이메일 | info@bookk.co.kr

ISBN | 979-11-410-9071-5

www.bookk.co.kr

신입사원으로 살아남기

나준규, 조대용

목 차

책을 시작하며

청년 실업에 대한 뉴스가 나오면 자주 등장하는 문구가 있다.

'신입보다는 경력직 선호, 신입이더라도 중고 신입을 더 선호해…'

입사 전의 나와 많은 취업 준비생들이 이것을 보고 하는 말이 있다.
'그러니까 경력을 쌓게 해달라고! 경력은 어디서 쌓는데…!'

그런데 잠시 이런 생각을 해보자. 왜 회사는 신입이 아닌 경력직을 더 선호하는 것일까?

입사 전의 나는 경력직들은 이전에 일을 해봤기 때문에 성과를 내는 방법을 신입보다 더 잘 안다고 생각했다. 그 때문에 많은 회사에서 경력직들을 선호하고, 신입들은 기회조차 얻지 못한 채 취업 준비생 신세를 진다고 느꼈다.

그러나 막상 입사를 하고 일을 해보니 이런 생각은 완전히 바뀌게 되었다. 물론 경력직들이 신입보다 아는 것도 더 많고 성과를 더 잘 낼 수 있다. 하지만 이것이 중요한 포인트가 아니다. 경력직은 신입사원이 모르는 회사에서 어떻게 일하는지를 아는 것이다!

초중고 의무교육을 거쳐 대학교까지 학교에서는 우리에게 지식을 전해줬지만, 회사에서 어떻게 일을 해야 하는지를 알려주지 못했다. 이 때문에 회사에서는 신입사원이 입사하게 되면 회사에서 일하는 방법을 (경력직들에게는 몸에 체화된 그 방법들을!) 처음부터 알려줘야 한다. 이렇게 신입사원들을 교육하는 것도 회사에게는 비용이자 투자이다. 보통 신입사원들이 입사하면 수습기간으로 3개월의 시간이 주어지니 우리는 지레짐작으로 그 기간 동안 회사에서 일하는 방법을 가르치고 적응시키는 것이라고 볼 수 있다.

물론 경기가 좋아 회사들이 신입사원들을 교육할 수 있는 금전적, 시간적 여유가 있다면 이런 것이 문제가 되지 않을 것이다. 그러나 경기가 좋지 않고 경제 성장 속도가 더뎌지고 있는 대한민국에서 이럴 여유가 없는 회사들은 늘어난다. 실제로 기업들은 채용에 더욱 신중하게 접근하며, 이에 따라 경력직에 대한 선호와 신입사원을 잘 뽑지 않으려는 현상은 당분간 유지될 것 같다.

심지어 내 주변의 직장인 지인들에게 물어봐도 경력직이 말을 따로 안 해도 회사에서 일을 어떻게 해야 하는지 잘 알고 있어서 편하다는 말을 많이 한다. 반대로 신입사원들은 하나부터 열까지 업무에 대해 알려줘야 하며, 심지어 본인들이 생각했을 때 당연한 것들을 몰라 답답하다는 말을 할 정도였다. 회사가 잘되든 안 되든 그렇게 신경을 쓰지 않을 수 있는? 직장인들이 이렇게까지 말을 할 정도로 신입사원들은 여간 손이 많이 가는 게 아니다.

그렇다면 신입사원은 회사에서도 선호하지 않고, 직장에서도 환영 받지 못하는 존재로만 남을 수밖에 없나? 나의 경우 처음 입사했을 때는 그렇게 느꼈었다. 하지만 직장 상사분들을 통해서, 또 회사를 다니면서 익힌 업무와 직장인으로서 회사에서 알아야 할 것들을 배우면서 이제는 경력직이네 하는 소리를 들을 정도로 성장했다.

더불어 이제는 매년 우리 회사에 입사하는 신입사원, 인턴들을 교육하는 역할을 하며 수많은 인원들에게 회사 업무와 신입으로서 알아야 하는 것들을 알려주었다.

이렇게 교육을 진행하면서 내가 크게 느낀 부분은 새로 들어왔던 모든 분들이 다들 소위 스펙이 좋다는 것이다. 그리고 스펙이 아무리 좋아도 신입은 업무에 대한 교육이 필요하다는 것이다. 이것은 학력, 스펙을 초월하는 당연히 신입사원들이 갖는 특징이라는 것이다.

그렇지만 교육을 하면서 일과 회사 생활을 잘하는 신입사원과 그렇지 못한 사원들의 모습이 보이기 마련이었다. 이런 차이는 교육의 내용을 잘 따르고 있는지에 대한 것이 컸다. 회사에서만 배울 수 있는 엄청난 것을 교육을 통해 배운 것인가? 나는 엄청 특별한 것들을 신입사원들에게 교육하지 않았다. 그저 기초적인 업무와 회사 업무를 보는 방법들, 그리고 알면 좋을 몇 가지 지식들을 전달했을 뿐이다. 이 내용들은 내가 신입 때 배웠던, 그리고 배웠으면 좋았을 내용들을 추가한 것이다.

3년이 넘는 기간 동안 회사를 다니고 사원들을 교육하면서, 그리고 많은 커뮤니티에서 신입들이 겪는 고충, 궁금증들을 보면서 많은 분들이 이 내용에 대해서 알기만 해도 신입사원 티는 벗을 것 같다.

이 책에서는 회사에 막 입사하게 된 신입사원, 그리고 미래의 신입사원들에게 어떻게 회사에서 일을 하면 되는지, 어떻게 생활해야 되는지, 말 그대로 살아남을 수 있는 방법들을 알려줄 예정이다.

지금 신입사원으로서 직장에서 적응 중인 분들, 미래의 신입사원으로서 입사하기 전 어떤 것을 회사에서 하면 되는지 궁금한 모든 분들에게 이 책이 도움이 되기를 바란다.

조대용

신입사원들에게

신입으로 출근하는 첫날에는 긴장과 설렘이 함께한다. 새로운 환경, 새로운 동료, 새로운 업무. 모든 것이 어색하고 낯설다. 나 역시 한때는 신입사원이었다. 첫 출근에서 느꼈던 막막함과 배움에 대한 갈증을 누구보다 잘 알고 있다. 그래서 이 책을 통해 여러분이 조금이나마 더 수월하게 적응하고 성장할 수 있도록 돕고 싶다.

이 책은 신입사원으로서 '일을 잘할 수 있는지'에 대한 실질적인 조언과 노하우를 제공하기 위해 쓰여졌다. 단순히 업무 기술을 넘어서, 직장 생활에서의 인간관계, 자기 개발, 그리고 조직에서의 역할을 효과적으로 수행하는 방법까지 다룬다.

대한민국은 급격한 출산율 저하와 인구 고령화로 소멸 위기에 직면해 있다. 이러한 인구 구조의 변화는 경제, 사회, 문화 전반에 걸쳐 심각한 영향을 미치고 있다. 국가의 지속 가능성을 위협할 정도이다. 현재 한국인 100명에게는 4명의 증손자만 남게 된다. 멸종 수준의 위기이다. 이러한 인구 감소는 세계 역사에서 처음 있는 일이다. 전쟁, 기근, 질병이 창궐할 때도 이런 경우는 없었다.

신입을 선발하는 입장에서 나도 이를 직접 체감하고 있다. 우리 회사로 들어오는 이력서 중 젊은 층의 수가 줄고 있다. 그래서 신입을 선발하고 교육하는 것에 사활을 건다. 일할 사람이 줄고 있다. 절실한 마음으로 한 명 한 명 최선을 다해 교육한다. 그 소중한 한 사람이 조직을 이끌 인재로 성장하길 기대하며 이 책을 썼다.

우리나라의 50년 후, 100년 후는 어떠할 것인가? 나는 우리 회사가 조직의 생존과 성장은 물론 사회에까지 영향을 주는 그런 기업으로 남기를 희망한다. 한국인이 멸종으로부터 벗어나는 것은 개인의 성장이 조직과 사회로 이어질 때 가능하다. 그렇게 되면 탁월한 천재 한 명이 십만, 이십만 명을 먹여 살릴 수 있다. 인구 절벽과 마이너스 성장의 위기도 돌파할 수 있는 것이다.

이 책은 회사에 입사하는 신입들을 위한 책이다. 회사 생활을 막 시작하는 젊은이들이 인생을 바꿀 수 있는 좋은 습관을 형성하기를 바라며 썼다. 개인뿐만 아니라 조직과 사회의 미래가 독자들에게 달려 있다. 이 책을 통해 여러분이 일 잘하는 신입사원으로 자리매김하고, 더 나아가 자신의 분야에서 전문가로 성장하는 데 도움이 되길 바란다.

나준규

1장. 신입사원의 기본 자세

신입사원의 역할과 책임

신입사원은 회사에서 중요한 역할을 한다. 기존 직원들과는 다른 새로운 아이디어와 열정을 가지고 회사에 들어와, 기존의 시스템과 문화를 배우고 발전시키는 것이 신입사원의 중요한 역할이다. 또한, 회사의 성장과 발전에 큰 기여를 할 수 있는 인재이기도 하다.

실제로 내가 회사에 입사했을 때도 많은 아이디어와 열정이 있었던 것 같다. 주어진 업무가 끝나면 내 아이디어로 회사에 엄청난 성과를 가져다줄 방법을 끊임없이 생각했다.

많은 아이디어를 회의 시간에 제안했고, 회사에 핵심적인 역할을 하려고 노력했다. 회사에서도 기존의 제품이나 서비스에서 벗어난 창의적인 결과를 원할 때 신입사원들의 아이디어를 많이 참고했다.

그렇지만 영화 '스파이더맨'의 대사 중 '강한 힘에는 강한 책임이 따른다'라는 말처럼 신입사원도 이러한 역할을 수행하기 위해서는 많은 책임이 따른다.

1. 회사의 문화와 시스템 이해

신입사원은 회사의 문화와 시스템을 이해하고, 이를 적극적으로 수용해야 한다. 회사의 문화는 회사의 역사와 비전, 가치관 등을 반영하며, 업무 수행 방식과 의사소통 방식 등에 영향을 미친다.

예를 들어, 회사의 문화가 자유로운 분위기라면(IT 직종 등) 신입사원은 자유롭게 의견을 제시하고, 창의적인 아이디어를 도출할 수 있을 것이다. 반면, 회사의 문화가 보수적인 분위기라면(금융, 법률 직종 등) 신입사원은 신중하게 행동하고, 기존의 방식을 존중해야 한다.

회사의 시스템은 업무 프로세스와 규칙 등을 말하며, 업무의 효율성과 안정성을 보장하는 역할을 한다. 만약 체계적으로 구축되어 있다면 업무를 효율적으로 수행할 수 있지만, 미흡하다면 업무를 수행하는데 어려움을 겪을 수 있다.

문화와 시스템은 신입사원이 능동적으로 바꾸기 힘든 부분이 많다. 다만 이를 이해하고 수용한다면 회사 적응력이 높아지고, 업무를 수행하는 데 큰 도움이 될 것이다. 이에 대한 내용은 뒤에 <회사의 문화와 분위기 파악하기> 부분에서 다시 다룰 예정이다.

2. 업무에 대한 책임감

신입사원은 자신이 맡은 업무에 대해 책임감을 가지고 수행해야 한다. 어느 분야에서든 자신이 맡은 일에 대한 책임이 없는 사람에 대한 평가는 좋지 않다. 특히 성장을 목표로 하는 회사의 입장에서는 책임감을 가진 사람이 매우 중요하다. 자신이 맡은 업무를 기한 내에 끝내지 못하고, 급한 일을 미루는 사원을 어느 회사가 좋아할까?

이를 위해 신입사원은 자신이 맡은 업무의 목적과 목표를 파악하고, 이를 달성하기 위한 계획을 수립해야 한다. 또한, 업무를 수행하는 과정에서 발생하는 문제를 해결해, 이를 통해 자신의 역량을 향상시킬 기회로 만들어야 한다. 이에 대한 내용은 2장 '업무 수행 능력 향상' 부분에서 더욱 자세히 다룰 예정이다.

3. 상사, 동료와의 협력

신입사원은 협력을 중요시해야 한다. 회사에서는 혼자서 일을 하는 것이 아니라 자신의 팀, 더 나아가 타팀과 다양한 협력사들과 함께 일을 수행한다. 이를 위해 상사, 동료와의 소통과 협력을 통해 업무를 수행하고, 서로의 의견을 존중하고 배려해야 한다.

물론 원래 성격이 소극적이라 협력에 자신이 없는 사람들도 많다. 나 또한 처음에 그랬고, 교육했던 여러 신입사원들도 이런 고민을 토로했다. 그렇지만 태생적으로 협력하는 법을 알아서 하는 사람은 없다. 그냥 협력하는 '방법'만 알면 된다. 2장 '업무 수행 능력 향상' 부분에서 이에 대한 내용이 꾸준히 언급될 예정이다.

4. 꾸준한 자기계발

신입사원은 자신의 직무 역량을 향상시키기 위해 꾸준히 자기계발을 해야 한다. 학교에서도 공부를 계속했는데 회사에 입사하고 나서도 공부를 해야 하느냐고 물어본다면, 나는 당연히 공부를 해야 한다고 말할 것이다. 특히 AI 등 기술 발전이 가속화되고 글로벌화가 진행되는 현 시점에서는 이 점이 더욱 중요해지고 있다.

이를 위해 자신의 직무나 관심 분야를 파악하고, 관련된 책이나 강의를 듣는 등의 노력이 필요하다. 또한, 회사에서 제공하는 교육 프로그램 등이 있다면 참여하여 자신의 역량을 향상시켜야 한다. 나의 경우도 오히려 고등학교, 대학교 때보다 입사 후 자기계발에 투자하는 시간이 늘었고, 시간이 지날수록 이 부분이 중요하다는 것을 느꼈다. 그래서 이

부분은 따로 3장 '자기계발과 성장' 에서 보다 자세히 이야기해보려고 한다.

신입사원의 첫날

출근 첫날에는 다양한 교육이 진행된다. 아쉽게도 하루 종일 옆에서 해당 신입을 1대1로 봐줄 수 있는 조직은 많지 않다. 구성원들 모두 자기 업무를 하기에 바쁘다.

처음 출근을 하면 회사의 홈페이지에 들어가서 그동안 진행해왔던 사업과 최근 진행하고 있는 사업들을 둘러보는 것이 좋다.

회사의 가치관, 비전, 미션 등이 있다면 꼼꼼히 보자. 연혁이나 기사 글도 보자. 창업자의 창업 스토리도 읽어보면 좋다. 왜 회사를 세웠으며 회사가 추구하는 것이 무엇인지 파악해야 한다.

우리 회사는 신입사원들에게 워크샵 페이퍼를 작성하게 한다. 회사 홈페이지를 보면 쉽게 작성할 수 있다. 회사의 비전, 미션뿐만 아니라 개인의 가치관도 적어보게 한다. 또한 회사에 제안할 만한 비전들이 있다면 작성하게 한다. 개인과 조직의 공통 부분이 무엇인지 확인해보도록 하는 것이다.

회사의 강점과 약점, 위기와 기회 요소 등도 분석해본다. 경쟁사를 조사하기도 한다. 이런 작업을 하다 보면 첫날 오전은 금방 지나간다.

우리회사는 주로 1:1로 교육을 진행한다. 3개월 정도는 매일 집체 교육도 진행한다. 수시로 과제를 주고 진행사항을 점검한다. 매뉴얼을 주고 실습하게 한다.

대부분 신입사원들은 의욕적으로 출근한다. 어떤 기획 일을 할까? 어떤 개발 일을 할까? 하지만 일주일 정도 일을 배우면 생각보다 대단한 것이 없다는 것을 깨닫게 된다. 이유는 회사에서 큰 일을 안 주기 때문이다.

처음에는 아주 간단하고 누구나 할 수 있는 일을 준다. 실수를 해도 크게 문제가 안 되는 일들이다. 기초적이고 기본적인 일이다. 이 단계를 지나야 더 중요한 업무를 내준다. 하지만 많은 이들이 이 기초적인 일부터도 제대로 못하는 경우가 많다.

네이버 창업자 이해진 씨는 말했다. "뭔가를 성취하겠다는 열정만 있다면 어떤 환경에서도 해낼 수 있다는 게 내 지론이다. 일을 잘하는 사람은 하루 종일 복사만 시켜도 남들보다 뭔가 다르게 업무를 개선시키고 창의력을 발휘한다. 질량이 커다란 물체의 주변 공간은 구부러져 있다고 한다. 열정이 가득한 사람은 환경을 변화시킨다. 환경이 자신에게 맞춰져서 내가 환경의 중심이 돼야 한다."

이 말이 와닿지 않는다면 앞으로 직장 생활에서 큰 어려움을 겪을 것이다.

나도 첫 직장에서 비슷한 경험을 한 적이 있다. 사장님이 주관하는 팀장회의에 팀별 주간 보고서를 출력해 회의실 책상 위에 올려두는 일이었다. 인수인계자가 없어 처음부터 난관에 부딪혔다. 우선은 팀장들이 제시간에 보고서를 제출하지 않았다. 금요일에 받아야 월요일 아침 회의에 준비할 수 있었다. 나보다 직급이 높은 분들이니 독촉할 수도 없었다. 정중하게 두 번, 세 번 요청 드려서 제시간에 받을 수 있도록 했다.

둘째는 복사기를 어떻게 다루는지 몰라 당황했다. 프린터기로 하나씩 인쇄해서 스테이플러로 찍었다. 스테이플러도 가로로 찍을지, 비스듬하게 찍을지 고민해야 했다. 매뉴얼을 보니 한 부만 출력해 복사기를 사용하면 여러 부를 스테이플러까지 찍어주는 기능이 있다는 것을 알게 되었다. 그때부터 쉽게 작업했다.

책상 위에 보고서를 어떤 순서로 놓을까부터 의욕이 앞서서 신경을 많이 썼다. 결론적으로는 그런 별거 아닌 일을 깔끔히 해내니 회사에서 인정을 받았던 것 같다.

처음에는 간단한 일만 하니 서류 복사나 하러 왔나 했는데, 내가 정리하는 보고서는 회사에서도 임원급의 소수만 접할 수 있는 보고서였다. 이런 자료를 신입사원이었던 나도 보았던 것이다. 어떻게 보면 기회였다. 회사가 어떤 방향을 추구하는지 경영자 입장에서 생각해볼 수 있는 좋은 시간이었다. 아무리 간단해 보이는 일이라도 어떻게 효율적으로 오류 없이 빠르게 진행하는지 계속 연구해야 한다.

그 회사에서 비슷한 사례가 또 있었다. 택배 배송 업무를 맡았던 동료의 이야기다. 마찬가지로 택배 업무는 복사만큼 대수롭지 않아 보이는 일이었다. 택배 상자를 포장해서 우체국에 가져다가 택배로 보내야 했다. 이 택배 업무가 별거 아닌 것처럼 보이지만 지연 없이 배송이 나가야 하고 오배송이 되지 않도록 신경 써야 한다. 사람이 하는 일이니 꼼꼼하지 않으면 안 된다. 이 친구는 나중에 택배 기사와 직접 컨택해 기사가 회사로 방문하게 했다. 전용 프린터기도 받아 주소를 쉽게 출력하게 했다. 나중에는 회사를 나와서 쇼핑몰을 창업했는데, 그때의 경험 덕인지 시행착오 없이 빠르게 성장했다. 큰 돈을 벌어 20대에 벤츠를 몰고 다닐 정도였다.

아무리 단순한 일이라도 개선할 방법을 고민해야 한다. 나중에 어떻게 미래에 이어질지 모른다는 기대감으로 최선을 다한다면 이런 결과를 얻을 수 있다.

회사의 문화와 분위기 파악하기

회사의 문화와 분위기는 신입사원뿐만 아니라 전 직원이 파악해야 하는 중요한 요소다. 특히 회사에 처음 들어온 신입사원에게는 이것을 파악하는 것이 앞으로의 회사 생활에 매우 중요하다. 새로운 의견을 제시할 수 있는지, 기존의 절차를 꼼꼼히 따지는 것이 중요한지 등, 회사의 문화를 파악함으로써 앞으로의 소통 방법과 업무 수행에 있어 기틀을 쉽게 잡을 수 있다. 그렇다면 회사의 문화와 분위기는 어떻게 파악할 수 있을까? 크게 아래 세 가지 방법이 있다.

1. 직원들의 태도와 행동 관찰

직원들이 서로 어떻게 협력하고 소통하는지, 얼마나 열정적으로 근무하는지, 상사나 동료에 대한 태도 등을 관찰해서 파악할 수 있다. 특히 첫날 신입사원에게 바로 일을 주지 않는 경우가 많다. 이때 그저 멀뚱히 있지 말고 주변에서 근무하는 사람들이 어떻게 소통하고 일을 하는지 잘 지켜보자.

나의 경우, 입사 첫 자리 위치가 회의실 옆 팀장님 옆 자리여서, 일을 하는 모습과 함께 어떻게 대화를 나누는지 등의 모습을 곁눈질로 보거나 들었다. 이는 이후에 회사의 분위기를 파악하는 데 큰 도움이 되었다. 누군가는 부담스러운 자리라고 불만을 표할 수 있지만, 앞으로의 회사 생활을 적극적으로 임하고 싶다면 이런 자리 위치는 큰 도움이 될 것이다.

2. 회사의 사명과 목표 확인

많은 회사는 홈페이지에 회사를 소개하며 사명과 목표를 적어놓는 경우가 많다. 회사의 미래 비전을 고려하며 적는 경우가 많고, 그것에 따라 회사 정책의 큰 틀이 결정된다. 입사 전에 미리 알고 간다면 회사 문화를 파악하는 데 도움이 될 것이다.

우리 회사의 경우 'IT 기술을 통한 개인과 사회의 성장에 기여하는 에듀테크 기업'이라는 사명이 있다. 나는 첫 출근 전에 홈페이지에서 이 사명을 확인했고, 단순히 교육 회사의 딱딱한 분위기가 아닌 IT 기업의 자유로운 의견 교환과 기술 적용 분위기를 짐작했다.

3. 직원들과의 대화를 통해서 파악

사실상 회사 문화와 분위기를 파악하는 가장 좋은 방법은 직원들과의 대화를 통해서다. 실제로 회사에 근무하고 있는 직원들과 이야기를 나누다 보면 단순히 글로 명시된 내용이 아닌, 말로 표현할 수 없는 그 '분위기'를 알 수 있다.

그렇지만 신입사원이 상사나 동료들에게 바로 물어보기는 힘들다. 우선 서로 관계를 잘 형성하는 것이 중요하다. 관계를 잘 형성하면 보다 편하게 이런 내용을 말해볼 수 있고,

이를 통해 문화와 분위기를 파악하는 것을 넘어 자연스럽게 흡수할 수 있다.

상사 및 동료와의 관계 형성하기

앞서 말한 것처럼 회사의 상사와 동료와 관계를 잘 형성하는 것은 무척 중요하다. 좋은 관계를 유지하면 업무에서의 의견 전달이 자연스러워지고, 서로의 업무를 이해하는데 큰 도움이 되어 큰 트러블 없이 일을 할 수 있게 도와준다. 그렇지만 처음 회사에 와서 처음 보는 사람들이 가득한 신입사원이 어떻게 하면 관계를 잘 형성할 수 있을까? 이에 대해 신입사원들을 위한 관계 형성을 위한 몇 가지 방법들을 소개하려고 한다.

1. 인사하기

좋은 첫인상의 시작은 인사에서 시작된다. 출근할 때, 퇴근할 때, 복도를 걸을 때 등 회사 사람들과 마주치는 일이 있다면 밝은 표정으로 인사하도록 노력하자. 특히 처음 들어온 신입사원이라면 모르는 사람이 많을 테니 인사에 더욱 신경 쓰는 것이 좋다.

출근할 때는 간단하게 "안녕하세요", 퇴근할 때는 "내일 뵙겠습니다", "먼저 가보겠습니다" 를 외쳐보자. 퇴근할 때 " 수고하세요"라는 말은 쓰지 않도록 하자. 이는 윗사람이 아랫사람에게 쓰는 말로, 신입사원이 상사에게 "수고하세요"라고 말하는 것은 보기 좋지 않다. 자신의 옆자리, 같이 일하는 팀원 및 팀장에게는 특히 눈을 맞추며 인사에 신경 쓰자.

2. 예의 지키기

인간관계에서 예의를 지킴으로써 관계를 좋게 만들 수 있다. 상사에게는 "~~~ 과장님", "~~~ 대리님" 등 직책과 함께 이름을 부르고, 동료의 경우 "~~~ 씨", "~~~ 님" 등 호칭과 함께 부르자.

간혹 동료 사원에게 호칭 없이 이름을 부르며 반말을 하는 경우가 있는데, 이는 이후 관계가 악화될 여지가 있고 회사 인원들에게 좋지 않은 인상을 줄 수 있으니 주의하도록 하자. 또한 상대방이 말을 할 때 경청하는 자세를 갖고, 시간 약속을 한 경우 늦지 않도록 지켜야 한다.

3. 질문하기

구체적으로 업무에 관련된 질문을 하자. 회사에 입사하면서 업무에 대한 여러 내용을 배울 것이다. 이때 모르는 것이 있다면 공손한 어투로 질문하자. 터무니없는 내용을 질문하지 않는 한, 일을 배우는 데 열정이 있다고 느끼게 만들어준다. 아무도 열정이 있는 사람들을 싫어하지 않는다.

만약 모르는 것이 없다고 하더라도 이렇게 알려주신 내용이 맞는지 확인하는 질문을 해보자. 가르쳐준 내용을 잘 숙지하고 있다는 인상을 심어줄 수 있다. 내가 업무 교육을 하면서 신입들이 경청하며 질문을 해주는 경우 좋은 인상을 많이 받아, 업무적 요청을 줄 때 좀 더 신경을 쓰는 일이 많았다.

4. 스몰토크

업무 외적으로도 어느 정도의 스몰토크를 통해 관계를 쌓을 수 있다. 점심시간이나 엘리베이터 등 잠깐의 시간 동안 대화를 할 기회가 있다면 간단하게 스몰토크를 해보자. 이는 업무적인 대화도 자연스럽게 할 수 있도록 도와준다.

스몰토크 주제가 생각나지 않아 막막하다면 "어디 사세요?", "출근은 어떻게 하세요? 버스로 오세요?", "쉴 때 어떤 거 하세요?" 등 간단한 질문으로 시작해보자. MBTI에 대한 대화도 편하게 스몰토크할 수 있는 주제로 추천한다. 상대방이 질문을 해올 때 대답하기 부담스럽다면 너무 솔직하게 답할 필요는 없다. 일반적인 답변을 해도 괜찮다 ("저는 강동에 살아요", "버스 타고 옵니다", "유튜브 보는 거 좋아해요

″ 등). 중요한 건 이런 스몰토크를 통해 얻는 상대방과의 관계다.

2장. 업무 수행 능력 향상

회사의 업무 이해하기

신입사원이라면 첫날부터 교육을 받게 될 것이다. 신기하게도 많은 이들이 교육내용을 필기를 하지 않는다. 나 같으면 녹음이라도 할 것 같다. 그래서 우리 도트플래너 노트와 펜을 반드시 책상 위에 올려둔다. 선임이 하는 이야기를 모두 받아 적으라는 의도다.

이 내용 중에는 대외비도 있다. 그래서 우리는 업무일지 겸 노트로 도트플래너를 제공해 준다. 대외비가 많이 적혀 있어 퇴사시에는 제출해야 한다. 개인용도로 희망하면 개인 플래너를 더 제공해준다.

대외비(對外秘)는 "대외비밀"의 줄임말이다. 조직 내부에서만 공유되어야 하는 기밀 정보나 자료를 의미한다. 이러한 정보는 외부로 유출되면 조직의 이익이나 경쟁력에 큰 영향을 미칠 수 있다. 철저히 보호되고 관리되어야 한다.

회사에서 첫날부터 진행되는 교육을 잘 숙지해야 한다. 반드시 노트에 필기를 해야 한다. 우리 회사는 입사 첫날 플래너와 펜을 지급해준다. 앞쪽에는 일정관련 노트가 있고 뒷쪽에는 필기가 가능한 노트가 있다. 적어야 한다. 배워야 할 내용이 많기 때문이다. 한번 듣고 기억하기란 쉽지가 않다.

이렇게 펜과 노트까지 쥐어주는데도 멀뚱멀뚱 있는 신입직원들이 많다. 팀장은 어느 정도 교육을 하다가 듣기만 하는 직원에게 필기를 하라고 안내를 해준다. 우리 회사 뿐만의 일이 아니다. 첫날 출근한 이는 긴장해서 그런 것일 수도 있다. 아니면 정말 모든 것을 기억할 수 있을지도 모른다.

그래도 잊었을 때 찾아보기 위해서 반드시 필기를 해야 한다.

회사에서 안내해주는 교육과 메뉴얼은 큰 가치가 있다. 그것을 만들어내기 위해 많은 노력이 들어가 있다. 내용이 복잡할 수도 있다. 하지만 다 이유가 있다. 메뉴얼을 만든 이는 나름의 고민 끝에 그런 내용을 넣었을 것이다. 이해를 최대한 하고 궁금한 것은 질문해야 한다. 반드시 익혀야 한다. 남이 오랫동안 연구한 것을 쉽게 배울 수 있는 시간이다. 정확하게 익혀야 한다.

신입사원이 들어와서 가장 중요하게 생각하는 것은 어떻게 하면 일을 잘할 수 있는지일 것이다. 이를 위해서는 먼저 자신에게 주어진 업무에 대해 잘 이해해야 한다.

1. 업무 매뉴얼 활용하기

입사 후, 본인에게 주어진 업무에 대한 매뉴얼을 받을 것이다. 매뉴얼은 업무를 제대로 하고 있는지 확인할 수 있는 일종의 가이드이다. 처음에는 인수인계 교육을 통해 업무를 배운 뒤, 이후 혼자서 일을 해야 할 때 매뉴얼을 참고하여 업무를 처리하면 된다.

2. 업무 도구 익히기

업무에 사용되는 도구를 잘 익히는 것이 중요하다. 팀에서 사용되는 메신저나 프로젝트 관리 도구, 워드, 엑셀 같은 문서 프로그램의 사용법을 숙지하자. 자격증 취득 수준이나 전문가 레벨의 실력은 아니더라도, 업무를 수행하는 데 불편이 없을 정도의 실력은 갖추어야 한다. 필요하다면 관련 프로그램의 자격증을 취득하는 것도 좋은 방법이다.

3. 업무 용어 숙지하기

사내에서 사용하는 업무 용어를 숙지하는 것이 필요하다. 회사에 입사하면 대외적으로 사용하는 단어가 아닌, 업무를 위해 사용하는 단어들이 많다는 것을 알게 된다. 이러한 용어들을 알아야 커뮤니케이션이 원활해진다. 업무 교육과 함께 이러한 용어들을 배우고, 상사나 동료에게 물어보면서 용어의 의미를 정확히 파악하도록 하자. 용어를 지레짐작으로 이해하려고 하지 말자.

4. 업무 우선순위 설정하기

업무를 수행할 때는 중요성과 긴급성을 기준으로 우선순위를 설정하여 효율적으로 처리하는 것이 중요하다. 아래의 네 가지 분류를 활용해 보자.

- 중요하면서 급한 업무: 가장 먼저 처리해야 할 업무이다. 이 업무를 처리하지 못하면 회사의 목표 달성에 지장을 줄 수 있으며, 고객의 요구에 대응하지 못할 수 있다. 이러한 업무는 1순위로 처리해야 하며, 집중도를 높여 빠르게 처리해야 한다.

- 중요하면서 급하지 않은 업무: 장기 목표를 두고 진행하는 기획이나 프로젝트가 여기에 해당한다. 회사에 기여하는 정도가 크지만, 시간이 걸리는 경우가 많다.

따라서 업무 시간의 일정 부분을 할애하고, 계획에 따라 차근차근 처리하는 것이 중요하다.

- 중요하지 않지만 급한 업무: 회사의 목표 달성에는 큰 지장을 주지 않지만, 고객의 불만을 초래할 수 있는 업무이다. 예를 들어, 고객의 클레임 처리가 여기에 해당된다. 이러한 업무는 시간이 된다면 빠르게 처리하는 것이 좋다.

- 중요하지도 않고 급하지도 않은 업무: 우선순위가 가장 낮은 업무로, 처리하지 않아도 회사에 큰 지장을 주지 않으며 고객의 불만도 야기하지 않는다. 업무 중 시간이 있을 때 처리하거나, 가능하면 다른 사람에게 위임하는 것이 좋다.

이러한 분류를 통해 업무를 처리하면 보다 효율적으로 업무를 수행할 수 있으며, 우선순위가 높은 일을 빼먹지 않고 처리할 수 있다. 대신, 사람마다 업무를 처리하는 역량이 다르기 때문에 자신의 업무 처리 역량을 잘 생각하여 업무를 처리하길 바란다.

신입사원의 질문

신입사원에게 회사는 모르는 것, 궁금한 것 투성이이다. 이런 상황에서 가장 필요한 것은 질문이다. 신입사원이 혼자서 문제를 해결하려고 하기보다는 상사나 동료에게 질문을 통해 답이나 조언을 듣는 것이 훨씬 효과적이다. 그러나 질문도 잘 하는 것이 중요하다. 신입사원이 질문을 잘 하기 위한 몇 가지 방법을 알아보자.

1. 질문 내용을 정리하기

너무 급하게 생각해서 질문을 던지지 않도록 하자. 물론 얼른 답을 받아서 해결을 하고 싶다는 신입사원의 마인드는 백 번 이해가 된다. 다만 급하게 질문을 던지면 질문의 내용이 정리가 되지 않아, 대답하는 사람이 이해하기 어려울 수 있다.

질문을 하기 전에 먼저 어떤 내용을 질문할 것인지 정리하자. 이를 통해 보다 명확하게 질문할 수 있어, 대답자가 쉽게 이해하고 답할 수 있다. 또한, 질문을 정리하다 보면 스스로 답을 깨닫는 경우도 있다.

2. 질문할 타이밍 확인하기

질문을 하기 전에 상사나 동료가 대답할 수 있는 상황인지 확인하자. 회의 중이거나 통화 중인 경우에는 질문에 답을 받을 수 없다. 상대가 바빠 보인다면, 눈치를 채고 나중에 질문을 하거나 메신저에 질문 내용을 미리 남겨놓자. 상대가 자리에 있고 바빠 보이지 않는다면, 먼저 바쁘지 않은지 물어본 후 질문하자.

3. 스스로 해결하려고 노력하기

질문을 하기 전에 스스로 해결하려고 노력해 보자. 물어보지 않아도 답을 찾을 수 있는 경우가 의외로 많다.

나의 경우 신입사원이 제휴사에서 메일의 답을 하지 않고 있다며 어떻게 처리를 해야 하는지 질문을 한 경우가 있었다. 그 제휴사는 평소에 빠른 커뮤니케이션으로 원활하게 일을 처리하는 곳으로 알고 있어서 나는 의아했고 제휴사를 통해 확인해보니 메일을 보냈다는 답을 받았다. 확인해보니 이미 읽은 메일을 까먹고 제휴사 쪽에서 답이 오지 않은 것으로 신입사원이 착각을 한 것이었다.

이처럼 이메일을 다시 확인하거나 이전 대화 내용을 검토하는 등 직접 해결할 수 있는지 살펴보자. 이렇게 하면 스스로 해결할 수 있는 문제는 직접 해결하고, 질문할 필요가 있는 문제만 질문하게 된다.

4. 효과적인 질문하기

- 구체적이고 명확한 질문: 질문은 구체적이고 명확하게 하자. 예를 들어, "이 문서의 이 부분이 이해가 되지 않습니다. 이 부분에서 'A'는 무엇을 의미하나요?"처럼 구체적으로 질문하면 대답하기가 쉬워진다.

- 상황 설명 포함: 질문할 때 상황 설명을 포함하자. 예를 들어, "제휴사에서 메일 답장이 오지 않았습니다. 저는 이미 메일을 확인했지만 답장이 없었습니다. 어떻게 하면 좋을까요?"처럼 상황을 설명하면 대답자가 상황을 더 잘 이해하고 답할 수 있다.

- 관련 자료 첨부: 질문할 때 관련 자료를 첨부하면 대답자가 상황을 더 잘 파악할 수 있다. 예를 들어, 이메일 문의에 관한 질문을 할 때 해당 이메일을 첨부하면 더 명확하게 답을 받을 수 있다.

5. 적극적인 태도 보여주기

질문을 통해 적극적인 태도를 보여주자. 질문을 통해 적극적으로 업무를 해결하려는 자세를 보이면, 상사나 동료들에게 좋은 인상을 줄 수 있다. 이는 이후에도 질문을 할 때 더 꼼꼼하고 자세한 답변을 받을 수 있게 도와준다. 대신 상대방이 시간적으로 얼마나 여유가 있는지를 잘 살펴 보기를 바란다.

답답하지 않게 보고하는 방법

신입사원들이 가장 많이 지적을 받을 수 있는 부분이 바로 보고라고 나는 생각한다. 특히 상사의 입에서 "그래서 하고 싶은 말이 뭐에요?"처럼 답답함을 느끼는 보고를 지적을 많이 받는다. 이는 보고에 익숙하지 않아서 그렇다. 입사 전에 보고라는 것을 평소에 할 일이 얼마나 되겠는가.

보고는 받는 사람의 입장을 고려해서 내용을 이해하기 쉽게 설명하고 필요한 정보를 제공하는 것이 중요하다. 보고를 받는 사람이 듣고 싶어하는 것은 결과다. 그러므로 결과를 먼저 말하고 그 결과를 보충하는 식으로 해야 한다. 또한, 보고를 통해서 받고 싶은 내용만 전달해야지 그 외의 정보들은 사족이다.

우리 회사의 신입사원 중에서 내가 우리가 진행하고 있는 서비스와 국내 동일 서비스들의 특징과 가격을 비교해서 보고하라는 업무를 준 적이 있었다. 여기서 내가 원하는 것은 국내 동일 서비스들의 특징과 가격이다. 그런데 보고를 하는 자리에서 신입사원은 시장에 대한 분석과 미래 동향, 각 서비스들의 장단점, 해외 서비스 업체들의 정보까지 같이 보고했다. 물론 이 정보도 중요한 정보라고 생각해서 수집하고 정리해 보고하는 마음은 이해가 되지만 정작 보고 받는 사람에게 필요한 정보 이외의 내용들이다.

그리고 이를 위해서 명확하고 간결하게 정리하고 보고를 위한 시간과 일정을 준수해야 한다. 보고의 내용이 어떤 것인지 한눈에 알 수 있도록, 듣자마자 알 수 있도록 해야 한다. 또 보고가 필요한 시간에 보고를 해야 한다. 보고를 받아야 할 내용이 제때 전달되지 않는다면 아무리 그 보고의 내용이 좋아도 결국 쓰임을 다하지 못하는 꼴이 된다.

● **답답한 보고**

- 보고 내용이 불분명하고 명확한 결론이 없는 경우
- 보고 내용이 지나치게 길고 불필요한 내용이 많은 경우
- 보고 시간이 지연되고 보고 일정이 지켜지지 않는 경우
- 보고 내용이 누락되거나 잘못된 정보가 포함된 경우

● **답답하지 않은 보고**

- 보고 내용이 명확하고 결론이 분명하게 제시된 경우
- 보고 내용이 간결하고 필요한 내용만 포함된 경우
- 보고 시간이 적절하고 보고 일정이 지켜진 경우
- 보고 내용이 누락되거나 잘못된 정보가 없는 경우

[**답답한 보고의 예시**]

사원: 어제 진행한 회의 결과를 보고 드리겠습니다. 회의에서는 다음과 같은 내용이 논의되었습니다.

- *주제 1: 시장 동향 분석*
- *주제 2: 경쟁사 분석*
- *주제 3: 제품 개선 방안*

각 주제에 대한 논의 내용은 다음과 같습니다.

- 시장 동향 분석: 최근 시장에서는 스마트폰의 수요가 증가하고 있으며, 이에 따라 스마트폰 제조업체들의 경쟁이 치열해지고 있습니다.
- 경쟁사 분석: 경쟁사들은 다양한 기능과 디자인을 갖춘 스마트폰을 출시하고 있으며, 가격 경쟁력도 갖추고 있습니다.
- 제품 개선 방안: 제품의 성능과 디자인을 개선하고, 가격 경쟁력을 높이는 방안을 모색해야 합니다.

[답답하지 않은 보고의 예시]

사원: 어제 진행한 회의 결과를 보고 드리겠습니다. 회의에서는 다음과 같은 결론이 도출되었습니다.

- 시장 동향 분석 결과, 스마트폰의 수요가 증가하고 있으며, 이에 따라 경쟁이 치열해지고 있음을 확인했습니다.

- 경쟁사 분석 결과, 경쟁사들은 다양한 기능과 디자인을 갖춘 스마트폰을 출시하고 있으며, 가격 경쟁력도 갖추고 있음을 확인했습니다.
- 제품 개선 방안으로 제품의 성능과 디자인을 개선하고, 가격 경쟁력을 높이는 방안을 모색하기로 했습니다.

회의에서 논의된 내용을 바탕으로 다음과 같은 계획을 수립했습니다.

- 제품 성능 개선을 위한 연구개발팀과의 협업 강화
- 디자인 개선을 위한 디자인팀과의 협업 강화
- 가격 경쟁력 강화를 위한 비용 절감 방안 모색

위와 같은 계획을 바탕으로 제품 개선을 추진할 예정입니다. 추가적인 검토가 필요한 부분이 있다면 언제든지 말씀해주세요.

위의 예시를 보면, 답답한 보고는 내용이 불분명하고 결론이 명확하지 않으며, 보고 시간이 지연되는 등의 문제가 있다. 반면에 답답하지 않은 보고는 내용이 명확하고 결론이 분명하게 제시되어 있으며, 보고 시간이 적절하고 보고 일정이 지켜지는 등의 문제가 없다.

보고를 할 때는 위와 같은 특징과 예시를 참고하여, 보고 내용을 명확하고 간결하게 정리하고, 보고 시간과 일정을 준수하며, 누락되거나 잘못된 정보가 없도록 주의하도록 하자. 만약 보고를 받는 사람의 입장을 고려하여 보고 내용을 이해하기 쉽게 설명하고 필요한 정보가 있다면 추가로 제공하는 것도 중요하다.

만약 추세를 보고해야 한다면 그 추세를 더욱 잘 표현할 수 있는 차트를 가져온다거나, 제품이나 서비스의 장단점을 비교하면서 설명을 해야 한다면 표를 작성해 보고를 하는 것 등이 방법 중 하나일 것이다. 만약 디자인, 콘텐츠에 대한 내용을 보고해야 할 때는 사진이나 영상을 활용하는 것도 좋은 방법이다.

신입 티 나지 않는 전화 받는 방법

"여보세요?"

많은 신입사원들 중에서 나를 가장 가슴이 철렁이게 하는 모습이 있다면 바로 회사에 오는 전화를 "여보세요"로 첫 응대를 시작하는 것이다. 이전에는 전화를 받을 때 "여보세요"로 전화를 시작하는 것이 당연하다고 배웠겠지만, 회사에서는 이렇게 하면 안 된다. 신입사원들에게 가장 힘든 업무, 부담스러운 업무가 무엇이냐고 물어보면 가장 많이 언급되는 것이 바로 전화를 받는 일이라고 말한다. 특히 모바일 메신저에 익숙한 소위 MZ 세대들이 전화에 대한 막연한 두려움이 있다는 소식을 뉴스 등을 통해서 심심치 않게 들을 수 있는 요즘, 이 MZ 세대들이 회사를 오면 전화 받는 일을 얼마나 힘들어할지 쉽게 짐작할 수 있다.

나 역시 마찬가지로 처음 업무 중 전화를 받거나 걸 때 굉장한 긴장과 두려움이 있었다. 특히 소심한 성격 탓에 전화를 해야 하는 일이 있다면 어떻게든 미루고 싶은 마음이 많았었다. 하지만 전화를 하는 법을 배우고 연습하면서 이제는 전화에 쩔쩔매는 신입들에게 어떻게 하면 되는지 알려주고 전화 업무에 대한 두려움을 없앨 수 있게 도와줄 수 있게 되었다. 어떻게 하면 회사에서 전화를 잘 받을 수 있는지 알아보도록 하자.

1. 전화 받기 전 준비

전화를 받을 때 가장 중요한 것은 바로 긍정적인 마음가짐이다. 처음이라서, 다른 사람과 전화를 하는 게 부담스러워서 등의 이유가 있겠지만, 우선 긴장하지 말고 차분하게 전화에 응대하겠다는 마음가짐을 가져야 한다. 긴장한 티를 내면 전화의 상대방도 긴장이 되고 전화의 신뢰도가 떨어질 수 있다. 이때 필요한 것은 내가 전화를 잘 할 수 있다는 자신감이다. 그럼 자신감을 어떻게 하면 가질 수 있을까?

자신감을 가지려면 전화 내용에 대해 잘 알고 있어야 한다. 이를 위해서는 평소에 회사의 업무 흐름과 관련된 정보를 숙지하고 있어야 한다. 우리 회사의 경우, 전화 교육을 진행하면서 교육 때 알려준 내용을 바탕으로 전화가 많이 오는 주제별로 질의응답 매뉴얼을 신입사원들에게 전달한다. 어떤 사원은 교육 때만 해당 자료를 보고 말고, 다른 사원은 교육 이후에도 업무 중 틈이 나면 해당 자료를 보면서 내용을 숙지했다. 실제로 전화가 오면 어떤 사원이 잘 응대를 할까? 당연히 자료를 평소에 잘 보지 않은 사원은 다른 사원들에게 물어보기 바쁘고, 그 답을 해주는 사원은 언제나 그 자료를 본 사원이며, 그 사원은 벌써 전화 응대를 마치고 자신의 업무에 다시 집중하고 있다.

간혹 전화를 받는 것이 두려워 자신에게 걸려온 전화를 빨리 받으려 하지 않거나, 본인이 전화를 당겨 받아야 하는 상황임에도 전화를 받지 않는 신입사원들이 있다. 전화를 두려워하고 긴장해서 그런 것은 백 번 이해할 수 있다. 그렇지만 그것이 전화를 받지 않아야 할 이유가 되지 않는다. 자신감을 갖고 최대한 전화를 받을 수 있도록 노력해보자. 어느 정도의 실수를 해도 상대방은 크게 신경 쓰지 않는다고 생각할 수 있다는 마음가짐을 갖는 것도 정신적으로 도움이 될 수 있다.

또 전화를 받기 전에는 메모를 할 수 있는 도구를 준비해둬야 한다. 전화로 전달되는 정보는 순간적으로 지나가기 쉽다. 따라서 중요한 내용을 놓치지 않기 위해 메모지와 펜을 가까이에 두고 중요한 사항들을 기록하는 습관을 들이는 것이 좋다. 만약 본인이 타자가 빠르다면 컴퓨터 메모장을 켜서 그곳에다 메모를 하는 것도 추천한다. 중요한 것은 단순히 전화를 듣기만 하지 말고 기록을 하는 것이다. 아무리 기억력이 좋아도 많은 전화 내용들을 기억하는 것은 쉽지 않다. 그렇다면 전화에서 어떤 내용들을 메모해야 할까? 상대방의 이름, 연락처, 그리고 요청 사항을 정확히 기록하는 것이 중요하다. 이 세 가지만 기록하면 누가 어떤 일로 연락을 줬는지 파악할 수 있고, 다시 전화를 해서 답변을 줄 수 있다.

2. 전화 받을 때

전화를 받으면 먼저 자신이 속한 부서와 이름을 밝히며 인사하는 것이 좋다. 예를 들어, "안녕하세요, 마케팅부의 홍길동입니다.", "감사합니다. 마케팅부의 홍길동입니다."라고 말하면 된다. 이렇게 하면 상대방은 자신이 맞는 부서에 연결되었는지 확인할 수 있고, 당신이 누구인지 알 수 있다. 고객에게 걸려오는 전화라면 "감사합니다. (회사명)입니다." 라고 말하면 된다. "여보세요"는 회사 밖에서만 사용하도록 하자.

상대방의 말을 경청하는 것도 매우 중요하다. 상대방의 말을 잘 듣고 적절히 반응해보자. 경청하는 태도는 상대방에게 신뢰감을 줄 수 있다. 통화 중간 중간 "네, 그렇군요.", "알겠습니다." 등과 같은 반응을 보이며 상대방의 말을 잘 듣고 있다는 것을 어필하자. 이를 통해 상대방이 어떤 것을 요청하는지, 통화를 하는 목적도 파악할 수 있다. 간혹 빨리 일을 처리하려고 상대의 말을 끝까지 듣지 않고 본인의 말을 전달하는 사원들의 모습도 볼 수 있다. 한 번은 신입사원이 고객의 전화를 받아 문의를 처리하는데, 빨리 처리해야 한다는 생각에 끝까지 내용을 듣지 않고 중간에 짐작으로 답변을 했던 적이 있다. 이때 문의하려던 내용과는 다른 답을 해서 오히려 고객에게 답변을 하는 데 오래 걸린 적이 있었다. 급할수록 돌아가라는 말처럼, 전화를 받을 때는 경청하고 확실하게 대답하도록 하자.

또한, 상대방의 요구를 명확히 이해하기 위해 적절하게 질문하는 것도 필요하다. 상대방의 말을 이해하지 못했을 때는 "죄송하지만, 다시 한 번 말씀해 주시겠습니까?"라고 물어보는 것이 좋다. 또한, 필요한 정보를 얻기 위해 구체적인 질문을 하는 것도 중요하다 (언제 결제를 했는지, 확인을 위해서 상대방의 번호가 무엇인지 등).

3. 전화 내용 정리와 전달

전화를 끊기 전에 전화번호, 요청 사항 등 메모한 내용을 한 번 더 확인하고 정리하자. 중요한 사항들이 빠지지 않았는지, 필요한 정보가 모두 기록되었는지 체크하는 것이 중요하다. 이를 통해 후속 조치를 정확히 할 수 있다. 그리고 전화를 끊기 전에는 "감사합니다", "다시 연락 드리겠습니다."와 같은 끝인사를 하고 수화기를 바로 내려놓지 말고 속으로 2초~3초 정도 숫자를 세고 나서 수화기를 내려놓자. 전화가 끝나기 직전에 상대방이 전달하거나 문의해야 할 내용이 생각나서 전화를 이어가려 하는 경우가 간혹 발생한다. 이때 전화가 끝난 줄 알고 바로 전화를 끊어버리면 상대방 입장에서는 불쾌한 경험을 할 수 있다. 또한, 전달하지 못한 내용을 다시 이야기하기 위해 다시 전화를 걸어서 또 통화를 이어가야 하는 경우가 발생한다.

이전 파트에서 언급한 보고와 마찬가지로 전화 내용을 관련 부서나 상사에게 전달할 때는 핵심 사항을 명확히 전달해야 한다. 이를 위해 메모한 내용을 바탕으로 요점을 정리하고, 필요한 경우 이메일이나 메신저 등을 활용하여 정확히 전달하자.

만약 통화 중 다른 부서나 상사에게 전화를 돌려줘야 하는 경우가 생길 수도 있다. 이럴 때는 우선 전화를 받아야 하는 사람이 자리에 있는지 파악하자. 전화가 가능한 줄 알고 전화를 돌렸는데 막상 전화가 연결되지 않으면 전화를 건 상대 입장에서는 불편한 경험을 할 수 있다. 만약 자리에 있다면 누가, 어떤 사유로 전화를 줬고 전화를 돌려도 되는지 물어보자. 왜 전화가 왔는지 상대가 알 수 없다면 전화를 돌려줘도 원활하게 처리가 안될 수도 있고, 전화를 받는 사람도 당황할 수 있으니 꼭 어떤 전화인지 간단하게 설명하자.

이렇게 전화를 전달하는 것처럼 전화기의 자주 쓰는 기능은 잘 쓸 수 있도록 익혀두자. 스마트폰에 익숙하고 전화기를 많이 쓰지 않던 신입사원들은 업무 전화기의 기능들이 어떤 것이 있는지 모른다. 물론 이런 사실을 회사에서도 알기 때문에 전화기를 쓰는 법을 간단하게 교육해준다. 그러니 만약 회사에 들어가서 전화기 기능을 잘 모른다고 해도 걱정하지 말자. 대신 자주 쓰는 기능들은 익숙해질 때까지 그 기능을 쓰는 법을 메모해두는 것을 추천한다. 메모를 해서 눈에 보이는 곳에 붙여 두자.

어떤 사원의 경우 전화를 돌려줄 때마다 기능을 제대로 숙지하지 못해서 불필요하게 시간을 사용하거나 전화가 끊겨버리는 경우가 있다. 자신이 기능 사용을 할 줄 안다고 답했지만, 빈도가 잦아 아예 사용 방법을 메모해서 자리에 붙이라고 전달했었다. 기능을 확실히 익히고 메모를 활용하면 효율적으로 전화를 처리할 수 있다.

4. 어려운 상황 대처법

전화를 받다 보면 모든 전화가 원하는 방향으로 되지 않는다. 잘 모르고 어려운 질문도 받을 수 있다. 알지 못하는 질문을 받았을 때는 우선 당황하지 말자. 그리고 솔직하게 모른다고 답하는 것이 좋다. 그렇지만 단순히 "모르겠습니다." 라고만 말하면 프로페셔널하지 않게 보인다.

대신 "확인해보고 다시 연락 드리겠습니다."라고 말하고 우선 통화를 종료한 다음, 빠르게 관련 정보를 찾아서 다시 연락하는 것이 좋다. 또는 관련 담당자가 잠시 부재중이어서 담당자가 돌아오는 대로 전화를 드린다고 답하고 이후 정보를 찾고 답변하는 것도 방법 중 하나다.

불만이나 항의를 받았을 때는 먼저 상대방의 감정을 이해하고 공감하는 것이 중요하다. 상대방의 말에 반박하지 말자. 상대방의 입장에서는 자신의 불만족 포인트를 알리고 싶어 하는데 이를 막으면 오히려 원활한 소통이 어려워질 수 있다. 상대방의 말을 우선 끝까지 듣고 "불편을 드려 죄송합니다."라고 말하며, 문제를 해결하기 위한 방법을 함께 찾아보도록 하자. 필요하다면 상사나 관련 부서에 도움을 요청하는 것도 한 방법이다. 본인이 해결할 수 없다고 판단되는 경우 빠르게 상황을 상사나 부서에 알려 도움을 요청하자.

전화 응대 연습과 개선 방법

전화 응대는 신입사원에게 어려운 일이지만, 위에서 제시한 방법들을 익히고 실천한다면 자신감 있게 전화를 받을 수 있을 것이다. 중요한 것은 꾸준한 연습과 경험을 통해 자신만의 전화 응대 방식을 만들어 가는 것이다.

나는 신입사원이었을 때 전화 응대에 대해 부족함을 많이 느꼈기에 많이 오는 전화 상황들을 대본으로 만들었다. 이렇게 대본을 만들어 특정 전화가 오면 그에 맞는 대본을 꺼내 읽듯이 전화를 응대했다. 이렇게 대본을 보면서 전화를 받다가 나중에 자신이 생긴 후로는 대본이 필요 없게 되었다. 그리고 전화를 잘 받는 사람이 옆자리에 있었는데, 그 사람이 전화를 받을 때 어떻게 하는지 귀를 열고 내용을 잘 들어보며 따라 할 방법을 메모했다가 나중에 전화를 받을 때 활용했다. 이렇게 자신에게 맞는 연습 방법을 찾아서 연습해보는 것을 추천한다.

신입사원으로서 회사에서 전화를 받는 일은 처음에는 어려울 수 있다. 그러나 위의 방법들을 숙지하고 실천하면 조금씩 자신감을 얻을 수 있다. 긍정적인 마음가짐을 갖고, 철저히 준비하고, 상대방의 말을 경청하며, 명확하게 이해하고,

어려운 상황에서도 당황하지 않고 적절히 대처하는 것이 중요하다. 꾸준한 연습과 경험을 통해 전화 응대에 익숙해지고, 자신만의 스타일을 만들어가도록 하자. 이렇게 하면 어느새 전화 응대에 자신감을 갖고 능숙하게 전화를 받는 자신을 발견할 수 있을 것이다.

처음 써보는
비즈니스 메일 작성 방법

입사하면서 전화 못지 않게 많이 하는 것이 이메일을 보내는 일이라고 생각한다. 업무를 위해 처음 이메일을 쓰는 사원들을 보면 어떻게 작성을 해야 하는지 스트레스를 받는 모습을 보인다. 비즈니스 메일을 처음 작성하는 것은 약간 부담스러울 수 있지만, 몇 가지 기본적인 원칙을 따르면 효과적이고 전문적인 메일을 작성할 수 있다. 비즈니스 메일 작성하는 방법에 대해 알아보자.

1. 메일의 목적

메일을 보내는 이유를 명확히 하자. 목적이 없는 메일은 없어야 한다. 회의 요청, 정보 요청, 협업 제안 등 그 목적이 분명하게 메일을 보내자. 그러기 위해서는 메일의 제목과 본문에 목적이 드러나게 작성을 할 필요가 있다.

2. 메일 구조

비즈니스 메일은 일반적으로 다음과 같은 구조를 따른다:

<제목>

이메일을 보낼 때 가장 신경 써야 할 부분이다. 상대가 관심을 갖고 메일을 읽을 수 있게, 짧고 명확하게 메일의 용건을 전달할 수 있게 제목을 작성해야 한다. 제목을 작성할 때는 3, 4 어절 정도가 적당하다. 읽기도 편하고 제목을 기억하기도 편하기 때문이다.

제목 예시:
[OO부서] 회의 일정 조정 요청
[OO기업] 신제품 소개 및 데모 요청

제목의 앞에는 어디서 이메일을 보내는 것인지 알 수 있도록 소속을 적고, 다음에는 메일의 용건을 간단하게 적어보자. 예의를 갖춰야 하는 대상에게 메일을 보낼 때는 소속과 함께 인사를 하는 것이 좋다. 이렇게 소속과 용건을 합쳐서 제목을 30자 이내로 작성할 수 있도록 하자.

<인사말>

사람과의 만남에서도 인사가 중요하듯이 이메일에서도 수신자를 존중하는 인사말로 시작한다. 상대의 이름과 직위를 인사말에 함께 언급하는 것이 좋다.

예시:
안녕하세요, [이름] 님,
안녕하세요, OO회사 [이름] 과장님

<소개/목적>

인사를 하고 나서 간단하게 본인의 소개와 메일을 보내는 목적을 설명하자. 작성하는 사원 입장에서는 아는 내용이어서 바로 본론을 쓰면 된다고 생각할 수 있지만, 메일을 받는 상대는 사전 지식이 부족할 수 있다. 목적을 미리 말해주면 상대는 주요 내용을 어느 정도 이해하고 메일을 읽을 수 있다.

예시:
저는 [회사 이름]의 [직책] [이름]입니다.
이번에 [목적]으로 메일 드리게 되었습니다.

<본문>

본문을 쓸 때는 메일의 주요 내용을 설명한다. 설명에 앞서 잘못 쓴 본문을 살펴보자.

예시 (잘못된 본문):

다음 회의는 다음 주 화요일 오후 4시로 했으면 좋겠습니다.

이렇게 자신의 메시지만 전달하면 안 된다. 상대방이 해당 시간에 회의를 할 수 없는 경우에는 어떡하나? 만약 내가 상대방이 된다는 시간에 안 되면 어떡하나? 저렇게만 보내게 되면 이런 내용들을 계속 서로 보내야 하는데, 전화나 메신저도 아닌 메일을 이렇게 보내면 서로 메일 보내는 시간이 낭비될 수 있다. 그리고 이런 일이 반복되는 경우 감정이 상하거나 오해가 생길 수 있기 때문에 주의하도록 하자. 그러면 이번엔 잘 쓴 경우를 살펴보자.

예시 (잘 쓴 본문):

다음 회의 일정을 위해 메일을 보냅니다. 예상 소요시간은 1시간입니다. 아래 3가지 후보 일정에서 골라 회신 주시기 바랍니다.

화요일 오전 11시
화요일 오후 2시
다음주 월요일 오후 2시

혹시라도 모두 안 되실 경우 전화주세요. 전화로 직접 일정을 조정하면 될 듯합니다. 감사합니다.

예시에 나온 좋은 본문은 메일의 목적이 분명하게 작성된다. 또 상대방의 반응을 이끌어 내기 위해 조건을 제시하거나 혹시 모를 상황을 위해 전화를 달라는 메시지도 더했다. 상대방이 취할 행동을 제시할 때는 구체적으로 제시해줘야 한다. 구체적인 행동지침이나 마감일정 등을 메일에 명확하게 알려줘야 한다.

본문을 보고 '내가 뭘 하라는 거지'라는 생각이 상대방에게 들지 않게 해야 한다. 만약 본문의 길이가 불가피하게 길어질 경우 전달 내용에 따라서 문단을 구분하고 숫자로 내용을 나누자.

<마무리 인사>

본문까지 작성이 완료되었다면 감사 인사와 함께 메일을 마무리하면 된다. 이때 주의해야 할 것이 "수고하세요"라는 말을 쓰지 않는 것이다. "수고하세요"라는 말은 윗사람이 아랫사람에게 하는 말로, 듣는 사람의 기분을 상하게 만들 수 있어서 가급적이면 쓰지 않아야 한다. 마무리 인사에는 "감사합니다" 등 감사 인사로 이메일을 맺으면 된다.

예시:
감사합니다.
좋은 하루 되세요.

실제 논문에 따르면 감사 인사로 마무리 인사를 하는 것이 상대의 반응, 행동을 유도하는데 효과적이라고 한다. 상대의 미래 행동에 미리 감사를 표했기 때문에 요청 받은 행동을 하는 동기 유발에 도움이 된다고 하니 마무리 인사를 할 때는 감사 인사를 잊지 말자.

<첨부파일>

메일에 전달해야 하는 파일을 첨부해야 하는 경우도 많이 생긴다. 파일을 첨부할 때는 파일명을 일정하게 통일하는 것이 좋다.

보통은 '날짜_작성자(회사_부서)_제목' 순으로 적는다. 만약 따로 회사에서 정해둔 규칙이 있다면 해당 순서를 따르면 된다.

예시:
250902_OO마케팅_연간계획표.docx

이렇게 파일명을 통일하는 이유는 정확한 의사소통을 하기 위해서, 업무 진행을 정확하게 기록하기 위해서이다. 일관성 있게 파일명을 저장하면 이후에 폴더에서 파일을 찾을 때 찾기 편하고 업무의 히스토리를 한눈에 볼 수 있다.

첨부파일을 보낼 때 몇 가지 주의해야 할 사항이 있다. 꼭 필요한 파일들만 첨부해서 보내야 한다. 너무 많은 첨부파일은 받는 사람에게 피곤함을 느끼게 만든다. 만약 보내야 하는 파일이 5개를 넘어간다면 그 파일들을 압축해서 보내는 것이 좋다.

첨부파일을 보내는 신입사원이 가장 많이 실수하는 부분은 바로 깜빡하고 첨부를 안 하고 메일을 보내는 것이다. 나도 첨부파일을 깜빡하고 못 보낸 실수를 한 신입사원이었던 만큼 깜빡해서 못 보내는 실수에 대해 많이 공감을 한다. 그래서 메일을 보내기 전에 첨부파일이 잘 첨부가 되었는지 한번 더 확인을 하고, 메일에 첨부파일을 확인하라는 메시지를 보내는 것이 좋다. 또는 실수를 줄이기 위해서 거꾸로 첨부파일을 먼저 넣고 메일을 작성하는 것도 실수를 줄이는 좋은 방법 중 하나다.

<서명>

메일 마지막에는 이름, 직책, 연락처 정보를 포함한 서명을 추가한다.

예시:

김철수

마케팅 매니저

ABC 회사

이메일: chulsu.kim@abc.com

전화: 010-1234-5678

3. 예시 비즈니스 메일

예시 1: 회의 요청

제목: 다음 주 회의 일정 조정 요청

안녕하세요, 홍길동 님,

저는 XYZ 회사의 기획팀에서 근무하는 이영희입니다. 이번에 귀사와의 협업 방안을 논의하기 위해 다음 주에 회의를 요청 드리고자 합니다.

저희가 제안하는 회의 일정은 5월 30일(화) 오후 2시입니다. 해당 시간이 가능하신지 확인 부탁 드리며, 만약 다른 일정이 더 적합하시다면 말씀해 주시면 감사하겠습니다.

귀사의 긍정적인 답변을 기다리겠습니다. 좋은 하루 되세요.

감사합니다.

이영희

기획팀 매니저

XYZ 회사

이메일: younghee.lee@xyz.com

전화: 010-9876-5432

예시 2: 정보 요청

제목: 신제품 관련 정보 요청

안녕하세요, 박민수 님,

저는 ABC 회사의 마케팅 매니저 김철수입니다. 귀사의 신제품 출시 소식을 접하고 관련 정보에 대해 문의 드리고자 합니다.

신제품의 주요 기능과 가격, 그리고 데모 영상이 있다면 공유 부탁드립니다. 저희 팀이 해당 제품을 검토하는 데 큰 도움이 될 것입니다.

귀사의 협조에 미리 감사드리며, 좋은 하루 되시기 바랍니다.

감사합니다.
김철수
마케팅 매니저
ABC 회사
이메일: chulsu.kim@abc.com
전화: 010-1234-5678

위의 내용을 참고하여 메일을 작성한다면 보다 효과적이고 전문적으로 보이는 메일을 작성할 수 있다. 다른 사람이 쓴 비즈니스 메일을 보고 비슷하게 따라 써보는 것도 좋은 연습이 되니 참고해보자.

메모의 중요성

회사에서는 많은 사람들과 커뮤니케이션을 하고 많은 자료와 정보를 바탕으로 일을 하게 된다. 이때 아무리 기억력이 좋다고 자신하는 사람들도 모든 내용을 기억하는 것은 사실상 불가능에 가깝다. 이럴 때 도움이 되는 것이 바로 메모이다. 메모는 다양한 이유로 업무를 할 때 중요하다.

1. 정보 기록 및 유지

기억 보조: 회의, 전화 통화, 업무 지시 등 중요한 정보를 기억하는 데 도움이 된다.

참조 자료: 나중에 필요한 정보를 쉽게 찾아볼 수 있도록 기록하는 참조 자료의 역할을 한다.

2. 커뮤니케이션 향상

명확한 전달: 메모를 통해 중요한 정보를 명확하고 정확하게 전달할 수 있다.

오해 방지: 구두로 전달된 정보는 쉽게 왜곡될 수 있지만, 메모는 정확한 정보를 전달하는 데 도움이 된다.

3. 업무 효율성 증대

업무 계획 및 관리: 해야 할 일과 우선순위를 명확히 할 수 있다.

시간 절약: 중요한 사항을 다시 확인하기 위해 소모되는 시간을 줄여준다.

4. 책임성과 투명성

업무 진행 추적: 업무 진행 상황을 기록하여 책임성을 높이고, 필요시 참고할 수 있다.

투명성 제공: 모든 중요한 결정을 문서화함으로써 투명성을 유지할 수 있다.

5. 지식 공유 및 협업

팀 내 공유: 메모를 통해 팀원 간 중요한 정보를 쉽게 공유할 수 있다.

협업 증진: 공동 작업 시 필요한 정보를 기록하고 공유하여 협업을 원활하게 만든다.

6. 문제 해결 및 분석

문제 추적: 문제가 발생했을 때, 관련 메모를 통해 원인을 분석하고 해결 방법을 찾는 데 도움이 된다.

패턴 인식: 반복되는 문제나 성공적인 방법을 기록하여 미래에 참고할 수 있다.

7. 공식 문서 작성의 기초

초안 작성: 중요한 보고서나 제안서 작성 시 기초 자료로 활용할 수 있다.

문서화 준비: 메모는 공식 문서 작성 시 필요한 세부 정보를 제공한다.

이렇게 중요한 메모, 어떻게 하면 잘 쓸 수 있을까?

명확하고 간결하게

중요한 정보를 빠짐없이 기록하되, 불필요한 내용은 제외한다. 들으면서 모든 정보를 메모하기보다는 중요한 내용만 빠뜨리지 않고 적는 것이 중요하다.

이때 추천하는 방법은 키워드 형태로 메모를 작성하는 것이다. 주제의 큰 키워드를 적고 연관된 키워드를 적어 연결하는 메모법으로 문장으로 완성해서 적는 것보다 빠르게 메모할 수 있다. 대신 불필요하게 반복되는 키워드는 최소화하도록 해야 한다.

구조화

날짜, 제목, 주요 내용 등을 명확히 구분하여 작성한다. 특히 업무를 시작하기 전에 그날 해야 할 업무를 to-do list로 작성해서 중요도에 따라 해야 할 업무들을 순서대로 적어놓는 방법을 추천한다.

이 방법은 달성해야 하는 목표를 인식할 수 있게 해주고, 해야 할 일의 누락을 줄여줄 수 있다. 또 완료한 업무를 체크하게 되면 이에 대한 성취감도 느끼게 해준다.

일관성 유지

동일한 형식을 유지하여 나중에 쉽게 참고할 수 있도록 하자. 메모의 형식이 날마다 다르다면 이후에 메모를 보는 것이 쉽지 않다. 또 메모를 하는 상황에 맞춰 메모장을 구분하는 것을 추천한다. 업무 내용에 대한 메모, 회의에 대한 메모, 통화 메모, 기타 메모 등 상황에 따른 메모장을 구분하면 메모가 섞이지 않아 구분이 용이하다.

즉시 작성

중요한 정보를 놓치지 않도록 가능한 빨리 메모하자. 기억은 휘발되기 쉽다. 그렇기에 평소에 업무를 할 때 메모를 할 수 있는 메모장이나 필기구를 가까운 곳에 두는 습관을 들이자.

디지털 도구 활용

메모 앱이나 클라우드 서비스를 활용하면 언제 어디서나 메모에 접근할 수 있다. 노션, 에버노트 등 메모 앱들을 사용하여 어떤 상황에서든 메모를 적고 볼 수 있게 해보자.

주어진 업무를 어떻게 처리해야 하는가?

신입사원들이 주어진 업무를 효과적으로 처리하기 위해서는 체계적이고 계획적인 접근이 필요하다. 다음은 업무를 효율적으로 처리하는 방법에 대한 단계이다.

1. 업무 이해 및 계획

- 업무의 목적과 목표를 명확히 이해하기: 상사나 동료에게 필요한 질문을 하여 업무의 범위와 기대치를 정확히 파악하자. 빠르게 처리해야 하는 업무인지, 꼼꼼하게 체크해야 하는 업무인지 잘 확인하자. 업무를 잘못 파악하면 두 번 일을 하게 되는 불상사가 생길 수 있다.

- 계획 수립: 업무에 대해 파악이 되었다면 계획을 수립해야 한다. 큰 업무를 작은 단계나 작업으로 나누어 관리하기 쉽게 만들자. 큰 단위의 업무는 막막할 수 있고 성취감을 떨어뜨릴 수 있다. 또, 이후 업무의 진행 상황을 보고하기에도 용이하다.

- 우선순위 설정: 작업의 중요성과 긴급성을 고려하여 우선순위를 정하자. 긴급하고 중요한 작업부터 처리하고, 각 작업의 예상 소요 시간을 계산하여 데드라인을 설정하자. 타임라인을 통해 전체 일정 관리가 용이해지고, 데드라인은 작업 지연을 방지해준다. 데드라인이 주어진 업무라면

역순으로 업무를 처리할 계획을 세워 업무 시간을 분배하자.

2. 실행 단계

- 집중할 수 있는 환경 만들기: 업무에 집중할 수 있는 환경을 조성하자. 집중을 방해하는 요소를 최소화하고 필요한 자료나 도구를 준비하자. 본인이 집중이 잘되는 시간대에 업무를 할 수 있도록 다른 업무를 미리 끝내놓자.

- 하나씩 처리하기: 멀티태스킹을 피하고 하나의 작업에 집중하자. 멀티태스킹은 효율적이지 않으며, 바쁘기만 할 뿐 실제로 일을 더 많이 처리하는 데 도움이 되지 않는다.

- 진행 상황 모니터링: 주기적으로 진행 상황을 점검하고 계획대로 업무가 진행되는지 확인하자. 필요 시 계획을 조정하고, 중요한 업무는 중간에

상사나 팀에 진행 상황을 보고하여 피드백을 받자. 중간 보고 시 예상 종료일보다 여유 있게 보고하자. 예상일보다 빨리 일을 처리하면 긍정적인 인식을 심어줄 수 있다.

3. 검토 및 완료

- 작업 결과 검토: 업무가 완료되면 요구사항을 기준으로 작업 결과를 검토하자. 누락되거나 수정이 필요한 부분이 없는지 확인하고, 중간 보고에서 받은 피드백을 반영하자.

- 보고서 작성: 완료된 업무에 대한 보고서를 작성하고 필요한 경우 상사나 관련 부서에 제출하자. 이를 기록함으로써 향후 유사한 업무 처리에 참고할 수 있다.

4. 사후 평가

- 업무 수행 평가: 자신의 업무 수행을 평가하고, 잘한 점과 개선할 점을 분석하자. 업무를 하면서 받은 피드백을 바탕으로 개선이 필요한 부분을 고민하자.

이외에 추가적인 팁으로는

효율적인 도구 사용: 프로젝트 관리 도구(예: Trello, Notion)를 활용하여 작업을 체계적으로 관리하자.

시간 관리: Pomodoro 기법 등 시간 관리 방법을 사용하여 집중력을 높이고 효율적으로 시간을 사용해보자.

스트레스 관리: 충분한 휴식과 자기 관리를 통해 업무 스트레스를 줄일 수 있다.

지속적인 학습: 업무와 관련된 새로운 기술이나 지식을 지속적으로 학습하여 전문성을 향상시키자.

이 과정을 따르면 주어진 업무를 체계적으로 처리하고, 높은 품질의 결과물을 도출할 수 있을 것이다.

직장에서의 발표는 어떻게?

직장에서의 발표는 명확하고 효과적인 의사소통을 통해 아이디어를 전달하고 청중을 설득하는 중요한 기회이다. 회사에서 성공적인 발표를 위해서는 철저한 준비와 연습이 필요하다. 발표는 발표자의 업무 능력을 판단할 수 있는 자리이기도 하므로, 발표를 잘하느냐 못하느냐에 따라 자신의 능력이 인정받을지, 이미지가 손상될지는 발표 준비에 달려 있다. 신입사원이 발표를 준비할 때 고려해야 할 사항들에 대해 알아보자.

1. 준비 단계

목적과 목표 설정

- 목적 확인: 발표의 목적이 무엇인지 명확히 해야 한다. 정보를 제공하는 것인지, 설득하는 것인지, 결정을 촉구하는 것인지 등을 정확히 파악하고 준비하자. 목적을 정확히 파악하면 발표 내용을 체계적으로 구성할 수 있고 청중의 관심을 끌 수 있다.

- 목표 설정: 발표를 통해 얻고자 하는 결과, 즉 목표를 구체적으로 설정해야 한다. 예를 들어, 발표를 통해 회사의 지원을 받을 것인지, 프로젝트를 진행할 것인지 등 발표 이후의 결과를 고려해야 한다.

청중 분석

- 청중의 배경 파악: 발표를 듣는 청중의 배경, 지식 수준, 관심사 등을 파악해야 한다. 청중의 이해 수준에 맞춰 발표를 준비해야 한다. 예를 들어, 청중이 발표 분야에 대한 지식이 부족하다면 쉬운 언어와 이미지 자료를 활용하고, 전

문가를 대상으로 한다면 기초적인 내용은 간단하게 언급하거나 생략하는 것이 좋다.

콘텐츠 준비

- 핵심 메시지 명확화: 전달하고자 하는 핵심 메시지를 명확히 해야 한다. 이를 위해 발표를 서론, 본론, 결론으로 나누어 논리적으로 구성하자.

- 서론: 주제 소개와 발표 목적 설명. 청중의 관심을 끌기 위해 관련 에피소드를 이야기하는 것도 좋다.

- 본론: 주요 내용과 주제의 근거, 데이터, 예시 등을 포함. 자료를 나열하기보다 발표 내용을 뒷받침하는 증거가 되는 자료를 제시하자. 그래프와 사진 자료를 사용해 시각적으로 표현하면 효과적이다.

- 결론: 발표 내용을 간단히 요약하고 주요 메시지를 다시 강조. 발표 이후의 다음 단계도 제시하자.

자료 준비

- 시각 자료 준비: 파워포인트 슬라이드, 차트, 그래프 등 시각 자료를 준비하자. 슬라이드 디자인은 간결하고 명확하게, 핵심 포인트를 강조하고 텍스트는 최소화하자. 필요 시 청중에게 제공할 발표 자료를 미리 준비하자.

2. 연습 단계

발표 연습

- 반복 연습: 대본을 작성해 발표 전 여러 번 연습하여 발표 내용을 익숙하게 만들자. 타이머를 사용해 발표 시간을 체크하고 적절히 조절하자.

- 피드백 받기: 동료나 친구에게 시범 발표를 하고 피드백을 받거나, 발표 연습을 영상으로 촬영해 스스로 수정할 점을 파악하자.

비주얼 자료 점검

- 슬라이드 검토: 슬라이드를 검토하고 오타나 오류를 수정하자. 발표에 사용할 장비(프로젝터, 마이크 등)를 사전에 점검하자.

3. 발표 단계

- 자신감 있는 태도: 청중과 눈을 맞추며 자신감 있게 발표를 시작하자. 청중 전체에게 시선을 전달하는 느낌으로 발표하자.

- 명확한 발음과 천천히 말하기: 중요한 내용은 강조하며 천천히 또박또박 말하자. 여유 있게 말하는 연습을 통해 청중에게 자신감 있는 모습을 보여주자.

- 짧고 명쾌한 말하기: 짧고 명쾌하게 말해 내용 전달력을 높이자. 불필요한 형식 표현은 지양하자.

- 비언어적 요소 신경 쓰기: 다리 떨기나 꼬는 행위는 삼가고, 손짓 등의 제스처를 적절히 사용하자.

- 구조에 따른 발표 전개: 준비한 시각 자료를 활용하여 논리적으로 발표를 전개하자. 질문이나 일화 소개 등으로 청중의 반응을 유도하자.

- 핵심 메시지 요약: 발표의 주요 포인트를 요약하고 청중이 기억할 수 있게 다시 강조하자. 발표 이후 청중에게 원하는 행동이나 다음 단계를 명확히 제시하자.

4. 사후 단계

- 피드백 요청: 발표가 끝난 후 동료나 상사로부터 피드백을 받아 어떤 부분이 좋았고 보완이 필요한지 알아보자. 피드백을 정리해 다음 발표에 반영하자.

- 자체 평가: 자신이 발표하면서 느낀 개선할 점이 있다면 잘 정리하자.

추가 발표 팁

- 충분한 휴식: 발표 전 충분한 휴식을 취해 긴장을 완화하자. 필요 시 긴장 완화 제품을 사용해도 좋다.

- 스토리텔링 활용: 이야기 형식을 통해 청중의 관심을 끌고 메시지를 효과적으로 전달하자.

위 과정들을 잘 수행한다면 직장에서 효과적이고 자신감 있는 발표를 할 수 있을 것이다. 철저한 준비와 연습이 성공적인 발표의 핵심이다.

문제가 발생했을 때의 대응

업무 중 문제가 발생했을 때 적절히 대응하는 것은 업무의 연속성과 품질을 유지하는 데 중요하다. 특히 신입사원들은 문제가 발생했을 때 힘들어하는 경우가 많다. 문제를 효과적으로 해결하기 위해서는 단계별로 문제를 접근해 대응할 필요가 있다.

1. 문제 인식

- 문제 파악: 어떤 문제가 발생했는지 인식해야 한다. 작업 지연, 오류 발생, 고객 클레임, 성과 저하 등 다양한 형태로 나타날 수 있다.

- 원인 파악: 문제의 원인을 파악하는 것이 중요하다. 다음과 같은 질문을 통해 원인을 찾아보자

문제가 언제, 어디서, 어떻게 발생했는가?
문제가 발생한 과정에서의 특정 상황이나 변화는 무엇인가?

2. 문제 분석

- 근본 원인 찾기: 표면적인 문제에 그치지 않고 근본적인 원인을 찾아야 한다. 예를 들어, 고객 클레임이 발생하는 이유를 단순히 특정 고객의 문제로만 보지 말고, 자사의 서비스 과정에서 불편을 초래하는 포인트를 찾자.

- 객관적인 데이터 수집: 문제와 관련된 데이터를 모아 객관적으로 분석해야 한다. 짐작으로 원인을 찾기보다는 데이터를 기반으로 분석하는 것이 필요하다.

3. 해결책 모색

- 브레인스토밍: 팀원들과 함께 브레인스토밍을 통해 다양한 해결책을 도출하자. 창의적인 아이디어를 최대한 많이 도출한 후, 장점과 단점을 분석해 가장 효과적이고 실현 가능한 아이디어를 우선순위에 따라 정하자.

- 비용 대비 효과 고려: 해결책이 비용 대비 효과가 높은지 고려해야 한다. 비용적으로 시행할 수 없거나 효과가 크지 않은 경우, 실행이 어려울 수 있다.

4. 해결책 실행

- 구체적인 계획 수립: 해결책을 실행하기 위한 구체적인 계획을 수립하자. 작업 단계, 필요 자원(인력, 시간, 예산 등), 담당자 등을 포함해 어떻게 실행할지 정해 문제를 해결하자.

- 진행 상황 모니터링: 문제 해결 과정에서 진행 상황을 지속적으로 모니터링하고 필요할 경우 조정하자.

5. 사후 평가

- 결과 평가: 문제 해결의 결과를 평가하고 해결 목표를 달성했는지 확인하자. 문제 해결 과정에서 팀원들로부터 피드백을 수집해 이번 과정에서 배운 내용을 정리하자. 유사한 문제가 발생할 경우 참고해 더 나은 방법으로 대응할 수 있다.

추가적인 문제 해결 팁

- 투명한 커뮤니케이션: 문제가 발생하면 즉시 관련자에게 알리고 상황을 투명하게 공유하자. 문제를 키우지 않기 위해 숨기거나 주저하지 말고 팀의 협력과 신뢰를 유지하기 위해 문제를 알리고 다 같이 해결하자.

- 적극적인 태도: 문제를 해결하는 가장 좋은 방법은 문제가 발생하지 않도록 하는 것이다. 문제가 발생할 것 같은 점이 있다면 상사나 관리자에게 알리고, 대응책이 있다면 함께 보고해 문제를 사전에 예방하자. 수동적인 태도보다는 적극적인 태도로 문제를 예방하자.

이러한 단계와 팁을 참고하여 업무 중 발생하는 문제를 효과적으로 해결하자. 소개된 단계 외에도 자신만의 문제 해결 방법을 일하면서 찾게 된다면 정리하고 체계화해보자. 문제를 해결하는 효과적인 방법을 알게 된다면 문제를 마주하는 자세가 적극적으로 바뀌고 자신감을 가질 수 있다.

새로운 아이디어가 생각났을 때

회사에서 새로운 아이디어가 생각났을 때, 그 아이디어를 효과적으로 제안하고 실행할 수 있도록 하는 과정은 매우 중요하다. 아이디어를 떠올리는 것뿐만 아니라, 어떻게 제시하고 실현할 것인지에 대한 계획이 필수적이다. 다음은 새로운 아이디어가 생각났을 때 따라야 할 단계별 가이드이다.

1. 아이디어 정리

- 핵심 개념과 목적 명확화: 아이디어의 핵심 개념과 목적을 명확히 하고 구체화한다. 동료와 상사들이 이해하기 쉽도록 그림이나 다이어그램을 사용하여 시각적으로 표현한다.

- 회사에 미치는 효과 정리: 아이디어가 회사에 어떻게 도움이 될 수 있는지 정리한다. 비용 절감, 업무 효율성 증대, 매출 증가, 고객 만족도 향상 등 아이디어의 효과를 구체적으로 설명한다.

2. 자료 수집 및 분석

- 근거 자료 수집: 아이디어의 근거가 되는 자료를 수집한다. 시장 조사, 경쟁 분석, 내부 데이터 등 아이디어와 관련된 자료를 꼼꼼히 모은다.

- 유사 사례 분석: 유사한 다른 회사나 브랜드의 사례를 조사하여 예상 성과 및 보완해야 할 점을 파악한다.

- 비용 및 리스크 분석: 아이디어 구현을 위한 비용과 기대 효과, 리스크를 분석한다. 회사는 아이디어의 실행 가능성과 매력적인 기대 효과를 원한다는 점을 염두에 두자.

3. 아이디어 제안서 작성

- 제안서 제목 및 개요: 아이디어의 제목을 간결하고 명확하게 작성하고, 개요와 주요 이점을 간략히 설명한다.

- 배경 설명: 현재 회사의 상황과 문제점을 설명하고, 왜 이 아이디어가 필요한지 배경을 제시한다.

- 세부 내용 설명: 아이디어의 세부 내용을 구체적으로 설명하고, 이점을 나열하며 예상 비용과 잠재적 리스크를 상세히 기술한다.

- 실행 계획: 아이디어를 어떻게 실행할지에 대한 구체적인 계획을 작성한다. 필요한 인력, 예상 일정과 비용을 포함한 타임테이블 형태의 표를 제시한다.

- 결론: 아이디어의 요약과 기대 효과를 다시 한 번 강조하여 아이디어의 필요성을 언급한다.

4. 피드백 수용 및 조정

- 피드백 수용: 동료나 상사에게 피드백을 받으면 적극적으로 수용한다. 피드백을 통해 아이디어를 더욱 발전시킬 수 있다.

- 개선점 파악 및 재평가: 아이디어의 개선점을 찾아 개선하고, 초기 목표를 어떻게 달성하는지 재평가한다.

5. 실행 및 모니터링

- 실행 계획 확정: 아이디어를 제시하면서 세운 실행 계획을 조정 후 확정한다. 필요한 자원(인력, 예산, 시간)이 확보되었는지 확인한다.

- 진행 상황 모니터링: 계획에 따라 아이디어를 실행하면서 진행 상황을 모니터링하고, 필요할 경우 조치를 취한다.

6. 사후 평가

- 성과 측정: 아이디어 실행 후 성과를 측정하여 목표가 달성되었는지 평가한다.

- 인사이트 정리: 실행 과정에서 얻은 인사이트들을 정리하여 다음 아이디어 실행 시 참고한다.

이러한 단계를 따르면, 회사에서 새로운 아이디어를 체계적으로 제안하고 실행할 수 있으며, 이를 통해 회사의 혁신과 발전에 기여할 수 있다.

KPI, KGI를 파악하자

KGI(Key Goal Indicator)는 기업의 주요 목표이며, KPI(Key Performance Indicator)는 이를 달성하기 위한 세부 목표들이다. 요즘은 제품이든 서비스든 모두 온라인을 중심으로 하기 때문에 온라인과 관련된 KPI들을 살펴보겠다.

KGI는 일반적으로 '매출' 등으로 설정된다. 예를 들어, 이 달의 매출을 1천만원 증가시키겠다고 했을 때, 조직은 어떤 KPI를 설정해야 할까? 쇼핑몰을 운영 중이라면 먼저 고려해야 할 것은 쇼핑몰에 방문하는 방문자수를 늘리는 것이다. 이를 위해 온라인 광고, 오프라인 광고 등을 진행할 것이다.

오프라인 광고는 버스나 전철과 같은 광고의 양을 결정할 수 있다. 예를 들어, "전단지를 100만 장 배포하여 고객을 100명 확보한다."와 같은 세부 KPI를 설정할 수 있다. 전단지에 QR 코드나 특정 이벤트를 넣어 해당 전단지로부터 고객을 추적할 수 있다. 하지만 현수막 광고와 같은 오프라인 광고의 경우 측정이 어려우므로 자금적 여유가 있는 경우에만 후순위로 고려해야 한다.

온라인 광고는 키워드 광고가 대표적이다. 네이버나 구글을 통해 키워드 광고를 할 수 있다. 먼저 체크해야 할 지표는 노출량이며, 그 다음으로 클릭 수와 전환 수를 확인해야 한다. 특히 전환율이 높은 광고에 집중해야 한다.

블로그, 인스타그램, 유튜브 등의 채널을 통해서도 KPI를 설정할 수 있다. 자신이 올린 포스트의 영향력을 파악하는 것이 중요하다. 노출과 클릭 수, 그리고 체류 시간을 살펴보고 내부에 특정 링크를 넣어 해당 경로로의 이동을 파악해야 한다.

이렇듯 신경 써야 할 지표들이 한두 가지가 아니다. 올린 광고나 포스팅의 효과를 매일같이 관찰하고 개선해야 한다. 인스타그램에 이미지를 올려놓고 방치하는 사람이 많다. 집착적으로 관리하고 개선하는 사람만이 성공할 수 있다.

MECE하게 정리하라

보스턴 컨설팅, 베인앤드컴퍼니, 맥킨지앤컴퍼니는 세계 3대 컨설팅 회사로 불린다. 뉴스 기사를 보다 보면 많은 스타트업의 대표들이 이런 컨설팅 회사 출신임을 알 수 있다. 또한 재벌 자녀들이 근무하는 것도 쉽게 볼 수 있다. 기라성 같은 국내 유수의 기업들을 컨설팅하고 있다는 기사도 심심치 않게 본다.

MECE는 이런 컨설팅 업계에서 나온 용어다. Mutually Exclusive Collectively Exhaustive의 약자다. 우리 회사는 누가

입사하더라도 이런 세계적 컨설팅 회사의 컨설턴트 수준으로 키우려고 공부를 시킨다. 기획력과 문제 해결 능력을 학습시킨다. 매일 교육한다. 이 MECE도 반드시 기억해야 하는 내용이다.

MECE는 한국말로 누락과 중복 없이 대상을 분해하라는 뜻이다. 기획서를 볼 때 "MECE하지 못한데?" 판단이 되면 문제 해결 대안에 부족함이 있는 것이다. 혹은 똑같은 말을 돌려서 여러 번 하고 있는 것이다. 설득력이 떨어지는 것은 누구나 쉽게 느낀다. 고개가 끄덕이게 만들어야 한다.

MECE의 예를 들어보겠다. 먼저 인간을 특정 기준으로 구분해보자. 생물학적으로 남자와 여자로 구분할 수 있다. 국적, 종교, 학력 등으로도 구분이 가능하다. 나이대로도 구분할 수 있다. 직업의 유무로 해서 재직자와 실업자로 나눌 수 있다. 재직자도 다양한 직업으로 구분이 가능하다.

트럼프 카드 사례를 들어보자. 색을 기준으로 나누면 빨강과 검정이다. 무늬를 기준으로 하면 하트, 다이아몬드, 스페이드, 클로버로 가능하다. 또는 영문과 숫자로도 구분할 수 있다.

여기까지는 쉬운 일이다. 어떤 문제 해결을 필요로 할 때는 복잡해진다. 현상을 분해할 때는 기준도 직접 정해야 한다. 정답은 없다. 가장 논리적이고 설득력 있게 분해해야 한다. 문제가 해결될 수 있도록 해야 한다. 최적의 형태로 분해해야 한다.

예를 들면 기업의 '비용 절감'을 목표로 해보자. 고정비용과 변동비용으로 먼저 구분이 가능하다. 그 외 잘 모르겠다면 기타비용으로 하자. 대표적인 고정비용 중에는 임대비와 인건비가 있다. 어떻게 비용을 절감하겠는가? 가장 많이 나오는 대안은 싼 곳으로 이사를 가거나 구조조정을 단행하는 것이다. 다른 대안들도 연구해볼 수 있다. 마케팅적으로도 MECE가 적용된다. 누구를 타겟팅할 것인가에 대해 지역, 연령대, 성별, 소득, 직업, 라이프스타일, 성격, 가치관 등으로 구분 지어 볼 수 있다.

이처럼 MECE는 많이 쓰인다. 서로 겹치지 않으면서 누락되지 않게 세분화해 쪼개는 연습이 필요하다.

살라미처럼 얇게 분해하라

살라미는 이탈리아 햄을 얇게 잘라 놓은 소시지를 말한다. 두께는 1~2밀리미터 정도다. 샌드위치 같은 곳에 들어간다.

협상 용어 중에 "살라미 전략"이라는 것이 있다. 한 가지 주제로만 협상하는 것이 아니라 조건들을 최대한 세분화해서 각 작은 주제별로 이득을 최대한 취하는 것이다. 이렇게 총 이득을 극대화하는 전략이다. 옛 공산국가들이 서방국가들과 협상 시에 많이 사용했다고 한다.

협상뿐만 아니라 일을 할 때도 이 살라미 전략이 통한다. 목표가 있다면 최대한 쪼개서 보는 것이다. 살라미처럼 일을 얇게 슬라이스로 잘라내는 방식은 장점이 많다.

일론 머스크는 인터뷰에서 자신의 전공이 물리학과 재료공학이었는데, 이것이 사업을 하는 데 큰 도움이 되었다 한다. 문제를 미세하게 쪼개보는 것이 사업에선 중요한데, 자기 전공덕에 가능했다는 것이다.

전체 분량을 조금씩 나누어보면 실제 윤곽과 본질을 확인할 수 있다. 보이지 않던 미지의 영역이 뚜렷해진다. 막연했던 대상이 또렷해진다. 실제 투입되어야 하는 시간과 에너지를 정확히 파악할 수 있다. 자신감이 생긴다. 계획을 세워볼 만하다.

목표가 눈앞에 잘게 쪼개져 있으면 각각 격파하면 된다. 한 번에 하나씩 나눠서 하면 부담이 훨씬 더 준다.

공부할 때도 비슷하다. 영어 단어 100개를 외운다고 해보자. 어떻게 하겠는가? 10일에 나누어 매일 10개씩 외우면 된다. 하루에 10개만 완벽히 외우기로 하면 부담도 안 되고 할 만하다. 마지막에 조금만 더 시간을 내어 전체 복습을 하면 된다. 할 만하다.

공부를 못하는 사람들은 우선 전체 단어가 몇 개 있는지도 모르거나 알고 싶어하지 않는다. 무작정 100개를 매일 보면서 양이 많다고 느끼고, 외워지지 않는다면서 좀 하다가 포기한다. 공부에 관심이 없는 사람들은 책을 봐도 전체 페이지 수를 모르고, 앞에서부터 무작정 읽다가 뒷 페이지를 쓱 보고, 두께움을 느끼고, 2~3번 정도 보다가 나머지에 압도되어 포기한다.

재미있게도 회사 생활에도 비슷하다. 보통은 다들 공부 못하는 학생처럼 행동한다. 나도 자주 그러곤 한다. 일 잘하는 사람들은 머리가 좋은 게 아니라 이런 문제를 분해하고 나누어 해결하는 데 익숙하다.

나도 문제가 생겼을 때 항상 걱정이 된다. 이메일을 열었을 때 해결해야 하는 일들이 쌓여있는 것을 보면 부담이 된다. 낑낑대고 고민하다가 살라미처럼 일을 분해하기 시작한다. 내가 할 수 있는 일은 순차적으로 진행한다. 위임할 수 있는 일은 다른 이들에게 부탁한다. 위임을 많이 하면 할수록 더 빨리, 완성도 있게 끝낼 수 있다. 완벽주의 때문에 내가 쥐고 있으면 오히려 진척도 안 된다. 미루다가 마감 시간에 쫓겨 허겁지겁 하면 결과도 안 좋다. 그렇게 하나씩 쪼개고 각개 격파하다 보면 "이걸 어떻게 다 하지?" 했던 것들도 모두 끝나 있다.

세상을 살라미처럼 쪼개 보는 습관이 필요하다. 커다란 소시지로 보지 말아라. 얇게 썰어라. 모든 것을 작게 분해하라. 오늘 할 일을 적어 보아라. 10개로 나누어 적어 보아라. 가장 중요한 일부터 처리하고 못하는 것은 다른 이에게 부탁하거나 과감히 버려라.

전환율에 집중하라

전환율은 온라인 광고에서 쓰이는 말이다. 우리 회사에서 가장 중요시 여기는 지표 중 하나는 전환율이다. 전환에 대한 기준을 직접 세울 수 있다. 전환율은 선택과 집중을 할 때 기준이 되는 아주 중요한 지표이다.

예를 들면 전체 사이트 방문자 중 활동자 비율, 결제자 비율, 이메일 오픈율 같은 것이다. 나의 일이 얼마나 효과를 냈는지 파악하고 확장시키는 일이다. 내가 한 일이 얼마나 유효했는지 확인해야 한다.

먼저 어느 지표들이 중요한지 파악해야 한다. 그리고 전환율을 높이는 것에 집중해야 한다. 수치가 잘 나오지 않는다면 이유를 생각해봐야 한다.

온라인 마케팅을 예로 들어보자. 블로그, 유튜브, 인스타에 글을 쓰고 소개 링크를 걸어둘 수 있다. 해당 링크는 bit.ly 같은 유입 분석 주소로 따로 제작해 유입수를 파악할 수 있다. 포스팅에 대한 조회수가 100인데 3명이 생성한 bit.ly 링크를 클릭했다면 유입에 대한 클릭 전환율은 3% 가 되는 것이다. 그 3명 중 결제자가 한 명 발생한다면 전체 100 조회자 중 1명이 결제했으니 결제 전환율은 1%가 되는 것이다. 참고로 결제 전환율 1%는 높은 편에 속한다.

네이버 광고, 구글 광고도 마찬가지다. 특정 키워드를 클릭해 랜딩 페이지가 떴을 때 클릭, 스크롤, 체류 시간을 파악해 활동 전환율을 측정할 수 있다.

요즘에는 모든 것이 온라인에서 측정이 가능하다. IT 기업인 우리 회사에서는 웹과 앱에 대한 전환율 측정이 정말 중요하다. 수치의 변화를 읽으며 빠르게 대응해야 한다.

방문자수의 경우 전체 유입수를 늘리거나 전환율을 늘리는 데 신경 써야 한다. 이를 위해선 타겟을 잘 잡아야 한다. 물고기가 많은 곳으로 가야 하는 것이다.

1차적으로 중요한 것은 절대적인 방문자 유입수를 늘리는 것이다. 여기에는 거시적인 상황도 중요하다. 한 번은 인턴으로 들어온 친구가 종이로 출판하는 잡지사에서 일하고 싶어한다고 했다. 꿈은 좋다. 하지만 종이책이 없어지는 요즘이다. 수요가 줄면 공급도 준다. 종이 출판 편집자도 일거리가 준다. 직업 자체가 없어질 수 있는 분야다.

사업도 마찬가지다. 성장하는 시장에서는 10등을 해도 살아남는다. 하지만 사양산업이나 경쟁이 치열한 시장에서는 1등을 해도 겨우 생존한다. 독점을 해야지만 이득이 난다.

선진국 수준에 오른 우리나라는 과거와 같은 성장률을 기대하기 어렵다. 전 산업이 그러하다. 경제 관련 뉴스를 매일 보고 앞으로 전망이 어떤지 촉을 세우는 수 밖에 없다. 내가 하는 일이 어떤 분야인지 보아야 한다. 시장이 유망한지, 어디에 누구를 대상으로 광고와 콘텐츠를 올려야 하는지 연구해야 한다. 일단 양이 많으면 전환율이 낮아도 일정 매출이 확보된다.

최악은 시장도 작고 전환율도 낮은 경우다. 이때는 서비스와 제품을 최고의 수준으로 높이고 광고도 그 누구보다 설득력 있게 해야 한다. 최대한 결제 전환율을 높이는데 집중하는 수 밖에 없다.

회사의 마케팅 일이 나와 무관해 보일 수도 있다. 하지만 개인이 운영하는 SNS에서도 이런 통계시스템을 제공해준다. 내가 주변에 얼마나 영향을 끼칠 수 있는 사람인지 테스트해보라. 남는 커피 쿠폰이 있어 무료로 준다고 댓글을 달라고 해도 안 달릴 수 있다. 내가 올린 글의 조회수가 몇인지, 신청은 몇 명이 오는지 확인해보자.

전체 분량을 예측하라

일을 진행할 때 전체 분량을 파악하고 소요 시간을 예측하는 것을 습관화해야 한다.

우리 회사에서는 각자가 하고 있는 프로젝트의 예상 소요 시간을 공유하도록 한다. 팀장은 이를 기준으로 전체적인 일정을 잡는다. 만약 혼자서 하기 힘든 일이라면 여러 명이 함께할 수 있도록 조정한다.

회사 입장에서는 적재적소를 위해 개인이 하고 있는 일의 정도를 매일 공유해줘야 한다. 예측을 잘못할 수도 있다. 하지만 괜찮다. 계속 확인하면 된다. 더 빨리 끝나도 되고 더 늦게 끝나도 된다. 대략적으로 가늠하는 것이 목적이다.

전체적인 그림을 그리면 세부적으로 분해가 가능하다. 분해를 하면 일을 나눌 수 있다. 필요하면 나보다 더 잘할 수 있는 이에게 부탁하고 위임할 수 있다.

혼자서 모든 일을 해결하려는 것을 원하지 않는다. 이것은 전체 그림을 그리지 못하기 때문이다. 누구에게 부탁하는 것이 번거로워서 그럴 수도 있다. 업무를 분석하고 쪼개기 어려우니 혼자 하는 것일 수도 있다. 결국은 함께하는 것이 거의 대부분 더 좋은 결과를 만든다. 이를 위해서 자신이 하는 일을 적극적으로 공유해야 한다. 필요시 도움을 청해야 한다. 열심히 일하는 게 중요한 게 아니다. 현명하게 일해야 한다.

전체 분량을 파악하는 것은 일종의 지도를 파악하는 것과 같다. 전략 시뮬레이션 게임을 하면 보통은 전체 맵이 나오는데 어디에 어떤 아이템이 있는지 나오지 않는다. 탐색을 다녀야 한다. 마찬가지다. 전체 지도를 파악하고 어디로 먼저 가야 할지 학습해야 한다. 혼자서 하기 힘들면 여러 명과 함께해야 한다. 내가 지금 어디 있는지, 어떤 지도를 가지고 있는지 팀원들에게 공유해줘야 한다.

매일 아침에 해야 할 일은 플래너를 펼쳐 들고 오늘 할 일을 쭉 나열해보는 것이다. 얼마나 시간이 소비될지 측정하고 이 리스트를 팀에 공유하는 것이다. 우리 회사는 전 직원이 매일 자신의 업무를 팀원 간에 공유하고 있다. 대표조차도 전체 공지를 통해 당일 할 업무를 공유한다.

3장. 자기계발과 성장

공부는 계속해야 한다

학생 때도 계속 공부를 해왔는데 입사하자마자 또 공부를 하라니? 생존을 위해 어쩔 수 없다. 어떤 분야에서 어떤 일을 하든지 공부는 필수이다.

신입사원은 무엇을 공부해야 할까? 자신의 분야도 있겠지만 기본적으로 마케팅적 개념을 익히면 좋다. 마케팅이란 단어는 물건을 팔거나 광고 홍보를 하는 것으로 이해하는 경우가 많다. 하지만 마케팅이란 개념은 제품과 서비스에 대한 아이디어 도출부터 연구 개발, 생산, 유통, 홍보, 판매,

사후관리까지 모든 과정을 통칭한다. 여기서 발생하는 부가가치를 만들어내는 활동 모두를 마케팅이라고 대학교 전공 서적에도 명시되어 있다.

즉, 일을 하려면 마케팅적 시각에서 전체 그림을 이해해야 한다. 그리고 내가 하는 일이 어디에 속하는지 파악하고 그 범위를 넓혀가야 한다. 그렇게 팀장, 사업부장, 대표의 자리에 오를 수 있다.

회사를 다니는 목적은 리더로 성장하기 위함이고 이를 위한 공부를 계속해야 한다. 업무와 관련된 직접적인 기술에서부터 자기계발, 리더십과 관련된 여러 분야를 끊임없이 섭렵해야 한다.

회사는 CEO 수업을 무료로 시켜주는 기관이라고 보아야 한다. 지금 조직에서 팀장조차 못한다면 작은 가게를 차려도 아르바이트생 한두 명도 관리하지 못할 것이다. 재벌 2세들이 자신의 기업이 아닌 타 기업들, 특히 컨설팅업이나 금융업에서 수년간 경력을 쌓는다. 남의 회사에서 사원으로 들어가 일을 배우다가 모기업으로 들어온다.

공부한 것을 회사에서 적용하면서 문제 해결 능력을 기를 수 있다. 성취감도 느끼고 돈도 벌 수 있으니 일석이조다.

무엇을 공부해야 할까? 제일 먼저 업무와 직접적으로 연관이 있는 실무와 관련된 내용들일 것이다. 이는 전공서적, 자격증, 시중에 나온 관련 책으로 공부가 가능하다. 학원이나 인터넷 강의로도 배울 수 있다.

자격증을 공부하는 것도 추천한다. 나도 지금도 자격증을 가끔씩 딴다. 최근에는 이러닝운영관리사를 공부하고 있다. 자격증 공부는 시험일이 정해지므로 긴장 있게 공부하는 환경을 만들어 준다. 또한 자격증 시험을 신청할 때 주변 사람들에게 말하면 떨어질 경우 창피해서라도 공부를 하게 된다. 반드시 붙겠다는 선언 효과도 있다. 즉, 자격증 시험을 신청하는 것만으로도 큰 동기부여가 되고 책이라도 한 번 더 보게 된다. 지금 실무와 관련된 자격증이 무엇이 있을지 둘러보라.

대한민국은 그야말로 자격증 공화국이다. 세계에서 가장 잘 만들어진 국가 자격증 제도가 있다. 사무직뿐만 아니라 생산직 산업에서도 기능사, 산업기사, 기사, 기술사 등 대학 수준의 공부를 계속할 수 있게 해 놓았다. 어떤 자격증이 있는지 잘 모르겠다면 인터넷에서 자격동스쿨을 검색해 들어와 훑어보라.

앞서 말한 전 직원이 이해해야 하는 분야는 마케팅 분야다. 대기업, 스타트업, 자영업을 해도 마케팅은 필수이다. 마케팅 개론부터 마케팅 관련 자격증을 공부하길 추천한다. 사회조사분석사, CS리더스관리사, SMAT, 텔레마케팅관리사, 구글 애널리틱스, 구글 애즈, 검색광고마케터, 마케팅 빅데이터 분석, 경영지도사 마케팅, 유통관리사, 물류관리사 등 공부할 자격증은 많다. 텔레마케팅 하면 전화 관련 자격증으로 착각할 수도 있는데 마케팅 개론에 대한 내용이 주이다. 유통이나 물류 관련 자격증도 마케팅 관련 내용이 기본으로 들어간다.

미국은 보통 대학 학부에는 경영학과가 없다. 학부에 법학과가 없는 것처럼 말이다. 실무 경험이 없는 학부에서 경영학은 의미가 없다고 생각한다. 대신 마케팅 전공, 회계 전공으로 세분화되어 있다. 그래서 보통 우리나라 형태의 경영학은 MBA라는 특수대학원에 가서 배운다. 그 전에는 기본에 집중하라는 취지이다. 각자의 전공을 기반으로 사회생활을 조금 한 후 MBA에 간다. 생산, 인사, 회계, 마케팅을 공부한다. 경영을 생각한다면 이 모든 것을 익혀야 한다. 그중 첫째로 마케팅적인 학습이 필수이다.

기사글 형태로 미래를 그려보자

신문을 보다 보면 유명인의 인터뷰를 본 적이 있을 것이다. 그 사람에 관한 특집 기사도 있다. 자신이 성공하고 싶은 분야가 있다면 그 기사를 스크랩해라.

여러 글 중 마음에 드는 기사의 내용을 수정해보아라. 이름, 인터뷰 내용, 자신이 어떻게 성공했는지 그 기사 포맷에 맞추어 재작성 해보라. 마치 진짜 일어난 일처럼 눈앞에 상상이 펼쳐지게 작성해 보자.

아마존에서는 사내에서 PPT를 사용하지 않는다고 한다. 대신 기사 형태의 보고서만 사용한다고 한다. 기사는 객관적이다. 아직 나오지도 않은 제품을 마치 출시된 것처럼 출시 소개 기사로 작성한다. 미래에 대한 이미지를 생생하게 그려낼 수 있다. 심지어 나오지 않은 상품인데 매뉴얼과 FAQ까지 만든다고 한다. 이 사실을 알았을 때 무척 놀랐다. 우리도 비슷한 활동을 해 왔기 때문이다.

우리 회사도 언론보도가 나간다. 대부분은 신제품 출시에나 회사 소개에 대한 글이다. 기사 말미에는 항상 앞으로 계획 중인 프로젝트에 대한 소개가 언급된다. 혹은 앞으로 회사의 비전에 대해 이야기한다. 대부분은 아직 나오지도 않은 구상 단계의 이야기이다. 회사 미래에 대한 목표는 황당하게까지 느껴진다. 하지만 재미있는 사실은 시간이 지나면서 그 기사들이 현실이 된다는 것이다.

그 중 가장 대표적인 사례가 '도트타이머'이다. 제대로 출시되기 전부터 우리는 해외 서비스를 할 것이라고 공표했다. 아시아를 거쳐 세계로 뻗어 나갈 것이라 했다. 지금 사용자

중 반은 해외 유저이다. 실리콘밸리로 진출했다. 아마존, 구글 등 빅테크 관계자들도 만났다.

우리 회사와 관련된 기사를 직원들이 공유해본다. 기사에는 신제품에 대한 소개도 있지만 회사의 미래상이 그려져 있다. 지금과는 확실히 괴리가 있다. 이 기사를 보면서 일종의 인지 부조화를 느낀다. 불편함을 느끼는 것이다. 그러면 두 가지 행동이 나타난다. 일찍 포기해버리거나 그 목표를 향해 행동 변화를 일으키는 것이다. 기사는 사라지지 않기 때문에 계속 볼 수밖에 없다. 새로 들어오는 신입사원들은 회사의 비전을 보고 들어왔다고 한다. 기존 직원들조차도 잊고 있다가 목표를 상기시켜준다. 이것이 반복되다 보면 "우리 꿈은 그런 것이었지. 당연히 이뤄내야겠지." 하고 행동하게 된다.

조직과 개인 모두에게 적용 가능하다. 최대한 객관적인 형태의 미래상을 그려보는 것이 좋다. 이는 기사 포맷이 제격이다. 작성을 끝냈다면 출력하든 스마트폰에 저장하든 지속적으로 읽어보자. 너무 심취해서 현실과 상상을 혼동하지 않을 정도로만 하자. 가짜를 진실로 믿는 리플리 증후군에 빠질 수 있다.

대가우악

빅터 프랭클의 '죽음의 수용소에서'라는 책을 보면, 2차 세계대전 당시 유대인 수용소에서 그가 생존한 이유가 나온다. 가장 큰 이유 중 하나는 심적으로 크게 동요하지 않고 객관적으로 현실을 직시하며 생존을 위해 힘썼다는 것이다. 그의 이야기는 다음과 같다.

유대인 수용소의 많은 수감자들은 전쟁이 곧 끝나고 자신들이 곧 해방될 것이라는 희망을 품고 있었다. 특히 크리스마스와 새해가 다가오면서 많은 이들이 특정 날짜를 목표로 삼고 그때까지 버틸 수 있을 것이라고 기대했다.

그러나 실제로 크리스마스가 지나고 새해가 와도 전쟁은 끝나지 않았다. 수용소의 상황도 나아지지 않았다. 이로 인해 많은 수감자들이 절망에 빠지고 결국 생명을 잃었다. 희망의 상실이 수감자들에게 얼마나 치명적인 영향을 미쳤는지 보여준다.

빅터 프랭클은 크리스마스와 새해를 맞이하여 많은 수감자들이 전쟁이 끝나고 자신들이 해방될 것이라는 희망을 품고 있을 때, 그들과는 다른 접근을 취했다. 프랭클은 이러한 특정 날짜에 대한 기대가 충족되지 않을 경우 큰 실망과 절망으로 이어질 수 있다는 것을 알고 있었다. 그는 희망의 상실이 수감자들의 정신적, 신체적 건강에 얼마나 치명적인 영향을 미치는지를 목격했기 때문에 자신만의 방식으로 대비를 했다.

프랭클은 최대한 객관적이고 현실적인 태도를 유지했다. 그는 특정 날짜에 집착하기보다는 현재의 상황을 받아들이고, 그 안에서 의미를 찾으려고 했다. 자신이 통제할 수 없는 외부 상황에 대해 비현실적인 기대를 가지지 않았다. 또한 그는 수용소를 나가면 자신의 경험을 글로 써서 세상에 알리는 목표를 가지고 있었다. 이러한 목표는 그가 어려운 상황에서도 희망을 잃지 않도록 도왔다. 또한 그는 고통 속에서도 긍정적인 태도를 유지하려고 노력했다. 그는 자기 자신뿐만 아니라 다른 수감자들을 격려하고 지원했다. 그들이 절망에 빠지지 않도록 도왔다. 이렇게 프랭클은 수용소의 극한 상황에서도 정신적으로 무너지지 않고 오히려 더욱 강해질 수 있었다.

프랭클은 책에서 인간이 어떻게 미래에 대한 희망과 의미를 상실할 때 얼마나 쉽게 무너질 수 있는지를 보여주고자 했다. 정신적 힘이 극한 상황에서 얼마나 중요한 역할을 하는지 알 수 있다.

살다 보면 여러 일에 휩싸인다. 답답하면 일도 손에 잡히지 않는다. 우울하다. 위기가 닥치면 보통 사람들은 다 이렇다. 절망하고 울고 소리를 지르기도 한다.

어떻게 하면 이런 불안감을 떨쳐버릴 수 있을까? 나는 '대가우악'이란 방법을 사용한다. 대가우악은 대안, 가정, 우선, 최악의 아래 문장의 단어에서 한 글자씩을 따온 것이다.

문제가 생기면

1. 여러 대안을 나열해본다.

2. 실제라 가정하고 모두 시뮬레이션 해본다.

3. 가장 이상적인 결과에 대해 우선순위를 정한다.

4. 최악의 경우도 고려한다.

어떻게 보면 마블 영화의 닥터 스트레인지와도 비슷하다. 일어날 수 있는 최대한의 경우의 수들을 가정해 보는 것이다. 이렇게 여러 상황을 가정하고 내가 할 수 있는 일에 집중하면 심리적 안도감이 온다.

심리적 안정을 유지하는 것은 정말 중요하다. 물론 전혀 걱정 없이 완전히 마음을 놓아서는 안 된다. 약간의 긴장은 필요하다. 그렇다고 극도의 불안감으로 생활이 불가할 정도여도 좋지 않다.

운동하기

20대 학생일 때나 사회 초년생 시절에는 체력이 좋다. 특별히 운동을 하지 않아도 건강이 유지된다. 밤을 새워도 거뜬하다. 하지만 회사에 나와 하루 종일 일하면 지치기 시작한다. 20대도 힘들다. 허리도 아프다. 체력이 부족함을 느낀다.

30대 후반, 40대를 지나면 현저히 체력이 떨어진다. 집중이 안 된다. 저녁만 되어도 다르다. 일하는데 효율이 급격히 떨어진다. 사무직이라면 모니터도 잘 안 보이고 마우스 속

도도 느려진다. 나중에는 간단한 업무를 하는 데도 버거워진다. 기초적인 서류 양식을 기입하는 간단한 일조차도 부담이 된다.

30대 후반부터는 기초대사량이 줄어든다. 에너지 소비량이 적다는 이야기다. 20대 때와 식사량이 똑같은데 살이 찐다. 만약 이때 체력이 좋지 않다면 도태된다.

영화나 드라마를 보면 성공하는 사업가들이나 정치인들은 하나같이 조깅 같은 운동을 하고 있다. 괜히 그러는 것이 아니다. 고급 호텔에 가면 헬스장은 언제나 사람들이 분주하다. 그들은 성공해서 운동하는 게 아니라 운동을 해서 성공한 것이다. 나이를 먹어도 20대 같은 효율성을 유지하기 위해 운동을 하는 것이다.

나이를 먹으면 20대 때보다 2~3배의 시간과 노력을 들여야 겨우 동일한 결과가 나온다. 그것을 느끼면 운동을 안 할 수가 없다.

운동은 바로 미래의 이런 날들을 위해 지금 대비해야 하는 활동이다. 이런 건강한 신체를 20대~30대 때 완성시켜 놓아야 한다. 운동 습관, 식습관을 이때 형성해 놓아야 한다. 나도 운동을 꾸준히 하려고 노력해왔다. 요즘에는 출근 전에 헬스장에 가서 조깅을 하고 땀을 빼고 샤워를 하고 출근을 한다.

그전에는 자전거를 타고 강남에서 마포까지 출퇴근하기도 했다. 헬스장도 다니고 PT를 받은 적도 있다. 보통은 회사 동료와 회사 주변을 조깅하고 공원에서 운동을 했다. 수영장을 다니기도 했다. 혼자 혹은 회사 친구와 함께 헬스장에 다녔다. 20대 초반부터 계속 그렇게 해왔다. 물론 운동선수처럼 하지는 못했다. 하지만 꾸준히 무언가를 계속해왔다. 아침 일찍 혹은 저녁에 운동을 가능하면 매일 하려고 했다. 못해도 주 3일은 꾸준히 한 것 같다.

그렇게 했음에도 허리디스크도 오고 살이 찐다. 허리가 아프면 집중이 안 된다. 두통이 온다. 살이 찌면 몸이 둔해진다. 살 때문에 허리디스크도 더 심해진다. 그러면 다시 두통이 온다. 그렇게 악순환이 반복된다.

신입사원 중에 바디 프로필을 찍어 브이로그를 올린 친구가 있었다. 그 친구는 항상 긍정적인 에너지가 넘쳐났다. 본인이 운동하는 모습을 주변에도 SNS 등을 통해 계속 보여주었다. 이런 운동 활동 자체가 엄청난 경쟁력이다. 스스로도 건강할 뿐만 아니라 조직 전체에 활력을 불어넣어 준다. 누구에게나 환영 받을 수 밖에 없다.

이미지 트레이닝으로 하루를 시작해라

이미지 트레이닝(Image Training)은 미래에 일어날 일을 상상으로 그려보는 심리적 훈련 기법이다. 정신적으로 특정 활동이나 상황을 시각화하고 연습하는 방법이다. 이 훈련 기법은 주로 스포츠나 비즈니스 분야에서 사용된다. 성과 향상과 자신감 증진을 목표로 한다.

이미지 트레이닝은 정신적으로 특정 상황이나 동작을 생생하게 상상하는 것이다. 이를 통해 뇌는 마치 실제로 그 행동을 한 것처럼 신경 경로를 활성화한다.

이미지 트레이닝은 뇌가 실제 경험과 상상한 경험을 구분하지 못하는 원리를 기반으로 한다. 신경 과학 연구에 따르면, 특정 활동을 상상하는 동안 뇌의 관련 부위가 실제 활동을 할 때와 유사하게 활성화된다.

이미지 트레이닝은 장점이 많다. 성공적인 시나리오를 반복적으로 상상하여 자신감을 높일 수 있다. 긍정적인 상황을 시각화함으로써 스트레스와 불안을 줄이게 된다. 또한 다양한 상황을 상상해 예상치 못한 상황에 대비할 수 있다.

우리 회사는 전체 팀이 팀 별로 아침 회의를 한다. 가끔 중요한 내용이 있다면 길어지기도 하지만 보통 10분 정도로 짧게 한다. 오늘 할 일이 무엇이고 어떻게 하겠다고 팀원 간에 공유하는 시간이다. 이 모임은 사실 일종의 이미지 트레이닝 시간이다. 자기 선언 시간이다. 또한 팀원 간의 격려와

응원의 시간이 되기도 한다. 관련해 노하우가 있는 직원이 비법을 공유해주기도 한다. 서로간에 자극을 주기도 한다.

회의는 잘못하면 손실이 발생한다. 발표자 외에는 가만히 있는 경우가 많기 때문이다. 아침 회의 시간들은 당장에는 비용적으로 손실일 수 있다. 6명이 모여 10분만 함께 회의를 해도 총량은 60분이다. 즉 한 사람으로 치면 하루 중 1시간이 분량이 날라가는 것이다. 직원이 많으면 많을수록 회의를 잘못하면 손실이 발생한다. 하지만 우리는 전 팀이 매일 아침 하루도 빠짐없이 업무 공유 회의를 한다. 이유는 이 이미지 트레이닝 효과가 더 효용이 크다고 판단해서이다.

저녁과 주말 활용

회사를 다니면 개인 시간을 확보하기가 어렵다. 주 40시간을 근무하면 보통 9시에서 저녁 6시까지 일한다. 출퇴근 시간이 길면 개인 시간은 더 줄어든다.

가장 이상적인 것은 회사 근처에 집이 있는 것이다. 그렇지 않다면 출퇴근 시간을 최대한 활용해야 한다. 나는 항상 책 한 권을 들고 다닌다. 전철을 탈 때는 꼭 책을 챙긴다. 전철은 버스보다 멀미가 덜해서 독서하기 좋다. 요즘에는 오디오북을 듣는다. 반드시 책이나 오디오북을 활용해야 한다.

핸드폰으로 글을 쓰는 것도 좋다. 일기를 써도 좋다. 자신의 생각을 적어보는 것이다. 무언가를 써보는 것 자체가 커다란 자기 성찰의 시간이다. 이 글도 시간 날 때마다 핸드폰으로 작성한 것이다.

가장 최악인 것은 유튜브, 인스타, 게임 같은 것으로 출퇴근 시간을 허비하는 것이다. 대부분이 그렇게 시간을 쓴다. 그래서 성공이 어렵다.

집이 멀다면 회사 근처에 나와 사는 것도 좋다. 나는 첫 직장 생활 때 회사 근처에 고시원을 얻어 생활했었다. 하숙을 한 적도 있다. 회사 동료와 룸메이트로 비용을 반씩 부담하고 자취방을 구한 적도 있다.

회사 근처에 살면 장점이 많다. 나는 아침에 영어 회화 학원에 들렀다가 출근했다. 저녁에는 카페에 가서 공부를 했다. 독서실을 다니기도 했다.

회식이나 술자리는 대부분 회사 근처에서 했다. 부담이 없었다. 참고로 지금 우리 회사는 회식이 없다. 코로나 이전부터 없었다.

회사에 남아 야근을 하기도 했다. 사실 말이 야근이지 개발 관련 최신 기술들을 공부하는 자습 시간이었다. 내가 다니던 회사는 야근 시 저녁밥도 주었기 때문에 자취를 하던 나로서는 회사에 남는 게 공부도 하고 밥도 먹고 이득이었다. 물론 공부는 회사 업무와 관련된 것이었다. 다음날 내가 공부한 것을 적용해 업무의 효율을 높이기도 했다. 다들 놀라 했다. 인사 평가도 좋았다. 야근 시간에 업무와 전혀 무관한 공부를 하는 것은 피했다. 물론 요즘은 주 40시간 근무제로 이런 야근을 보기는 어렵다. 우리 회사는 6시에 정시 퇴근을 하고 야근도 없다. 스스로 스터디카페 같은 곳에 가서 자기 계발을 해야 한다.

하지만 자취를 할 경우 장점만 있는 게 아니다. 자기관리를 잘 못하면 오히려 나태한 삶을 살게 된다. 가족과 함께 있으면 잠자는 시간, 식습관 등을 가족에게 맞출 수밖에 없다. 어느 정도 규칙적인 생활이 강제로 된다. 하지만 자취를 할 경우 먹고 싶은 것을 먹고 자고 싶을 때 자고 청소도 하지 않고 규율 없는 삶에 빠지기 더 쉽다. 실제 자취를 하는 직원들 중 알람을 못 듣거나 전날 음주로 일어나지 못해 지각하는 경우가 종종 있다. 자기관리가 철저히 되는 사람만이 자취할 자격이 있다. 만약 자신이 없다면 불편해도 룸메이트와 함께 사는 것도 좋다.

주말에는 아침 일찍 일어나는 것이 중요하다. 평일과 동일하게 생활 패턴을 맞추는 게 좋다. 주말에 종교 활동을 하는 사람들은 대부분 평소와 다름없이 일어난다. 그래서 리듬이 깨지지 않는 경우가 많다.

나는 주말에도 평소와 차이 없이 시간을 보내도록 노력한다. 요즘은 토요일 아이가 백화점 문화센터에 갈 때 함께 간다. 근처 카페에서 책을 읽는다. 일요일에는 아이가 자습할 때 나도 공부를 한다. 그 외의 주말에 남는 시간엔 가족과 함께 시간을 보낸다. 이렇게 주말 이틀 중 4~8시간 정도는 전혀 통제 없는 자유로운 시간을 보낸다. 노는 시간이다.

결혼 전에는 주말에 도서관을 많이 갔다. 홍대에 있는 마포평생학습관과 종로에 있는 정독도서관이 공부 후 놀기에 좋았다. 평일 저녁에도 자주 갔다. 공부하라 카페도 자주 갔다.

정리하면 평일 저녁에는 최대한 공부하고 운동하길 권한다. 토요일과 일요일에는 오전만 잘 활용해도 알차다. 그리고 오후와 저녁에는 화끈하게 놀면 된다. 주말에는 최대한 일찍 일어나야 한다. 아침부터 활동을 시작하면 하루가 정말 길다.

휴식은 생산성을 높인다. 따라서 주말 내내 공부하란 소리는 아니다. 불금과 불토를 보내라. 여행도 가고 친구도 만나라. 후회 없이 시간을 보내라. 주말에 일정이 없다면 최대한 자기 계발에 시간을 쏟아라.

지금 당장 장기계획을 세워라

1년, 5년, 10년의 계획을 한번 세워보자. 100세까지 산다고 생각하고 그때 나는 어디에 있을까? 생각해보자. 가까운 시간보다 먼 시간부터 생각해보라. 많은 사람들이 이런 계획을 세우는 것에 부담감을 갖는다. 허황된 꿈 같은 이야기를 한다고 여긴다.

이 책을 쓰면서 지금 나도 한 번 계획을 세워 보았다. 10년 후에 우리 상품은 국내를 넘어서 세계에서 불티나게 팔리고 있을 것이다. 지금의 직원들은 계열사 사장들이 되어 있을 것이다. 5년 후에는 이 책들을 읽고 성장한 팀원들이 나보다 훌륭한 리더가 되어 있을 것이다. 1년 후에는 추가 서적들이 더 나와 있을 것이다. 우리 회사의 신입사원들이 출간된 이 책을 열심히 읽고 성장하고 있을 것이다. 다음달에는 이 책이 출간되어 온라인 서점에서 구매가 가능할 것이다.

내가 쓰면서도 조금은 황당하게 들린다. 읽는 사람은 오글거릴 수 있다. 마치 재벌 마냥 여러 계열사를 운영하겠다니? 하지만 충분히 가능하다고 본다. 물론 시간의 차이는 약간 있을 수 있다.

제대로 계획을 세우려면 위의 글처럼 먼 미래로부터 큰 목표를 세우고 일정을 거꾸로 세분화해야 한다. 지금을 기준으로 다음 단계를 적는 것이 아니다. '내가 지금 1의 단계이니 다음에는 2의 수준으로 올려야지' 로 계획하는 순간 실패는 정해져 있다. 처음부터 대담한 목표를 설정해야 한다. 그리고 이를 이루기 위한 할 일과 일정을 세분화한다. 할당된 목표를 어떻게 해서든 이루도록 최선을 다한다. 하루도 잊지 말고 꿈을 생각해야 한다. 목표에 집착해야 한다.

그러면 행동이 변화한다. 크게 성장한 본인을 발견할 것이다.

꿈이 현실로 이루어진다면 어떤 느낌일까? 상상해보라. 정말 일어난 일처럼 시뮬레이션 해보아야 한다. 그리고 성취했을 때의 상황을 굉장히 구체적으로 생각해봐야 한다. 나는 어디에 있을까? 누구와 있을까? 어떤 감정일까? 정말 일어난 것처럼 느껴봐야 한다. 눈을 감고 생각해보자. 오감을 다 활용해야 한다. 마치 실제 일어난 일처럼 말이다. 그렇게 생생하게 꿈이 이루어진 상황을 그려보자. 지금 시간을 낭비할 수 없게 된다. 우리가 행동하지 못하는 이유는 미래를 보지 못했기 때문이다.

그러기 위해서는 역으로 목표를 세워야 한다. 하지만 많은 이들이 그러지 못한다. 이유는 현실과의 괴리감이 너무 크기 때문이다. 가당찮게 여겨진다. 사실 꿈에 미치지 않고서는 그런 상상을 하기 힘들다. 제정신으로는 이런 식으로 계획을 세우기 어려울 수 있다. 소수만이 가능할 것이다. 그래서 성공이 어렵다. 어쩌면 다행스럽기도 하다. 모두가 그런다면 경쟁은 더 치열해질 테니 말이다.

처음에는 물질적인 목표도 좋다. 좋은 집에서 산다든지, 비싼 차를 운전한다든지, 해외여행을 한다든지, 멋진 연인을 사귄다든지 하는 것들이다. 속물로 생각할 수도 있다. 하지만 이런 원초적인 것들이 달성되면 사람은 더 고차원적인 것을 찾게 되어 있다. 물질을 넘어서는 일들, 예를 들면 사회에 공헌하는 일 같은 것도 하게 될 것이다.

강렬한 목표를 세워라. 갖고 싶은 직업, 사고 싶은 차와 집, 만나고 싶은 사람 등. 갖고 싶은 사진들을 출력해서 방 안에 온갖 곳에 붙여놓아라. 스마트폰의 배경화면으로 설정해라. 주변 사람이 보고 "네가 그런 것을 어떻게 해?"라고 비웃음을 살 정도로의 큰 꿈을 그려야 한다. 그리고 믿음을 가져야 한다. 나는 어떻게 해서든 이룰 것이다.

지금 어느 길로 가야 할지 잘 모르겠다면 일단 한 번 해봐라. 10장이든 20장이든 방 안을 사진으로 도배를 해보자. 그리고 그것을 위한 계획들을 세워보자. 어차피 잃을 것은 없다.

플래너를 반드시 써라

"플래너를 씁니까? 일기를 씁니까?"

우리 회사에 처음 오는 인턴들에게 물으면, 학생 때는 공부 목적으로 쓰는 사람들이 좀 있었는데 사회에 나오면서 오히려 안 쓴다고 한다.

우리 회사에서는 도트플래너를 업무일지 대신으로 사용한다. 업무보고 시 활용하기에 무조건 작성해야 한다. 쓰기 싫은 사람은 도트플래너 메모장이라도 활용하게 한다. 퇴사할 때는 업무일지이므로 이 플래너를 제출해야 한다. 개인 용도로 필요하면 얼마든지 추가로 준다.

도트플래너는 시중에서 판매되고 있다. PDF와 앱 버전까지 있는 플래너다. 서울어워드라는 상도 받았다. 수출우수상품 교육부문 1위도 달성하고 아마존, 이베이, 쇼피, 큐텐, 타오바오, 마쿠아케 등을 통해 전 세계에도 판매되었다. 자매품인 도트타이머 앱은 실리콘밸리까지 진출했다. 도트 시리즈의 전체 제품 사용자는 100만 명을 넘었다.

상용화된 제품이지만 사실 이 플래너는 사내에서 먼저 시작되었다. 우리 직원들이 시간 관리를 잘하고 효율적으로 업무를 수행하게 하기 위함이었다. 내가 꿈꿨던 것은 어느 신입사원이 와도 몇 개월 안에 세계적 컨설팅 회사의 컨설턴트처럼 일하기를 원했다. 그 첫 번째 무기가 이 플래너였다. 초기 인쇄 버전은 무료로 PDF로 회사 공식 블로그에 공개해놓았다. 지금도 누구나 다운로드받아 사용할 수 있다. 나중에는 회원들에게 이벤트 상품으로 주었다. 이후 판매를 하고 스마트폰용 앱까지 만들었다. 앱은 스마트워치 기능도 있다. 전체 다운로드 중 해외 사용자가 절반 이상이다.

이 플래너는 시간을 시각화할 수 있도록 했다. 계획하고 수행한 시간을 비행기의 계기판처럼 표현하려고 했다. 도해를 쉽게 하기 위해 밑줄선에 점을 넣었다. 점을 이어 표, 도형, 차트를 쉽게 그릴 수 있다. 일반 플래너와 다르게 타임테이블은 계획과 기록 두 가지 열이 있다. 타임테이블의 한 점은 10분을 나타내기도 한다. 또한 그날 안 좋았던 일, 좋았던 일, 내일 할 일 등을 적는 하루 세 줄 일기 기능도 있다. 이런 활동은 심리적 안정을 가져다 준다.

도트(점)는 지금 이 순간들이 미래의 성공한 지점들과 연결될 것이라는 믿음을 갖고 어려운 상황에서도 포기 말고 일점집중 하라는 의미다.

우리 플래너를 설명하다 이야기가 길어졌는데, 직장인이라면 어떤 플래너든 사용하는 것이 필수이다.

내가 가장 존경하는 위인 중 한 명은 이순신 장군이다. 전쟁을 승리로 이끈 것도 이유지만 난중일기라는 일기 때문이기도 하다. 읽어본 사람은 알겠지만 그닥 재미없는 내용이다. 특히 매일같이 날씨 이야기가 나온다. 꿈 이야기, 주변 사람들, 시시콜콜한 내용도 많다. 남을 욕하기도 한다. 내가 알던 대장군 이순신이 맞나 싶을 정도다.

하지만 커서 다시 읽어보니 그 내용들이 다르게 와닿았다. 날씨는 전쟁에서 가장 중요한 변수다. 특히 해상에서는 훈련과 전투를 위해 가장 먼저 파악해야 한다. 전쟁 승리를 위한 절박함과 절실함이 보였다.

장군들을 독려하고 탈영병들을 참수하는 것도 담담히 적어 나간다. 조정으로부터 부당한 대우에 억울해한다. 아들과 어머니가 죽었을 때 애절함이 느껴진다. 특히 아들이 왜병들의 복수로 살해당했을 때는 눈물이 날 정도다. 그는 리더로서 그 누구에게도 그 어디에도 하소연 못할 이야기를 일기를 통해 표출하고 있었다. 리더는 외로운 존재다. 아마 이순신 장군이 멘탈을 부여잡고 전쟁에서 이길 수 있었던 것은 바로 이 일기 때문이 아닐까?

4장. 신입사원 주의점

마지막으로 내가 느낀 회사에서 신입사원으로서 주의해야 할 사항들을 말하려고 한다. 아래의 주의점들을 지킨다면 회사 생활에 잘 적응하고, 동료들과 원활하게 협력하며, 직무에서 성공적으로 자리잡는 데 도움이 될 것이다.

출퇴근 시간, 휴가 사용, 복장 규정 등 기본적인 인사 규정을 숙지하자.

가장 회사 생활을 하는 부분에 있어 기본적인 부분이다. 그렇지만 출근 시간보다 늦게 오거나 복장을 회사 코드에 맞지 않는 복장으로 오는 신입사원들이 간혹 보이고는 한다. 사람에 따라서는 일찍 출근을 하는 것이 힘들거나 복장에 제한이 있는 것을 스트레스 받는 경우가 있다는 것을 물론 잘 알고 있다. 다만 회사 생활을 한다면 기본적인 규칙을 지키는 것을 당부한다.

특히 신입사원의 경우 업무 외적으로 자신을 어필할 수 있는 부분이 근태적인 부분이다. 솔직히 상사가 신입사원에게 업무적으로 얼마나 기대를 할 것이라고 생각하는가? 업무적인 부분보다 기본적인 회사 생활을 바르게 하는 모습을 보여준다면 회사에서 이런 태도를 근거로 업무적으로 증명할 수 있는 기회를 줄 수 있으니 기본적인 인사 규정을 지키도록 하자.

겸업과 경업

겸업은 부업을 하는 것을 말한다. 사이드잡을 하는 것이다. 이때 경쟁 업체에 다니는 경우를 경업이라고 한다. 모든 회사가 당연히 경업을 금지한다. 겸업도 추천하지 않는다.

우리 회사는 경제적 사정이 있을 때 겸업을 허락한다. 하지만 나도 추천하지 않는다. 전선이 두 곳으로 나뉘면 반드시 패배한다. 이도 저도 아닌 사람이 된다.

돈이 필요할 경우, 차라리 지금 회사에서 어떻게 하면 돈을 더 벌 수 있을까 고민해봐야 한다. 회사에 정중히 요청해보는 것도 방법이다.

소탐대실이라고, 눈앞의 이익만 생각하다가 장기적 이득을 놓치는 경우가 많다.

경쟁사에서 일하는 것은 윤리적으로 문제가 있다. 법적으로 책임을 지게 된다. 우리 회사에도 그런 신입이 있었다. 공무원 시험에 합격하고 임용 전까지 주중에는 우리 회사, 주말에는 다른 동종 업체에서 일했던 것이다. 공무원으로 합격했다는 사실도 숨기고 들어왔다. 다행히도 이 사실을 금방 알게 되어 내보낼 수 있었다. 사안이 심각해질 것이었는데 본인도 거짓말한 것에 대해 사과하고 나가는 선에서 정리를 했다. 지금 아마 어디선가 공무원을 하고 있을 것이다. 우리 회사에서의 경험을 계기로 앞으로는 안 그럴 것으로 믿는다.

핸드폰과 메신저 사용

스마트폰은 정말 편리하다. 하지만 잘못 사용하면 우리를 평생 노예로 만드는 장치가 될 수 있다. 현명하게 사용해야 한다.

나는 유튜브, 틱톡 같은 SNS 앱은 모두 삭제했다. 인스타는 있는데 그나마 회사 계정 관리용이다.

운동을 하거나 이동 중에는 최대한 오디오북을 들으려고 한다. 이 글도 모두 스마트폰으로 작성했다. 화면 터치로 타이핑을 하며, 접이식 키보드로도 작성한다. 내가 항상 들고 다니는 가방에는 책 한 권과 접이식 키보드가 준비되어 있다. 카페 같은 곳에서 누군가를 기다리거나 시간이 남을 때 독서를 하거나 집필을 한다.

그러다 보니 접이식 키보드는 대부분의 제품을 사용해 보았다. 추천하는 제품은 가장 크면서 가장 가벼운 제품이다. 키보드가 커야 그나마 오타가 줄어든다. 무거우면 항상 들고 다니기 힘들다.

스마트폰으로 자주 접속하는 앱은 광고 관리자나 우리 서비스의 통계가 나오는 앱들이다. 유입량 수치와 전환율을 수시로 체크한다. SNS 관련 앱들의 통계도 자주 본다. 구글 플레이, 구글 애널리틱스, 네이버 블로그, 쇼핑몰 관리자 등이다.

직장에서 핸드폰 사용도 요령이 필요하다. 급한 경우가 아닌 사적인 핸드폰 사용은 당연히 사무실 밖이나 휴게실에서

해야 한다. 게임, 음악, 채팅, 쇼핑, 주식, 코인 등은 사무실에서 피한다. 스마트폰은 업무로 필요한 것이 아니라면 일터에서 최대한 삼가야 한다. 상사가 지나가면서라도 업무 외의 것을 하고 있는 것을 보면 좋은 평가를 받지 못한다.

우리 회사 컴퓨터에는 카카오톡, 밴드, 라인 등의 사적인 메신저를 설치하지 않고 있다. 업무 전용 메신저를 사용한다.

회사 PC에서 카카오톡 같은 개인 메신저를 쓰면 문제가 발생할 수 있다. 로그인을 해놓고 자리를 비우면 사생활이 노출될 수도 있다. 시도 때도 없이 카카오톡으로 일을 지시하는 분위기가 만들어진다. 개인 폰에는 급한 게 아니라면 일과 관련된 메시지와 파일들을 저장하고 싶지 않다.

가끔씩 외부 업체들이 파일을 카카오톡으로 보내온다. 사무실 컴퓨터에서 개인 카카오톡을 쓰는 것이다. 이렇게 파일을 전달하는 사람이 있을 때는 정중히 이메일로 한 번 더 보내달라고 요청한다. 컴퓨터에 카카오톡이 설치되지 않아

파일 받기가 어렵다고 한다면 이메일로 보내달라고 요청한다.

게다가 카카오톡 파일은 지워질 수도 있다. 이메일은 내가 지우지 않는 한 파일이 그대로 남아있다.

메신저 사용 시에도 가능하면 중요한 일은 구두로 꼭 이야기하라고 한다. 조금 번거롭지만 구두로 동시에 보고하면 장점이 많다. 더블체크가 가능해서 누락이 없고 책임 소재를 명확히 할 수 있다.

협력업체에 중요한 일로 연락할 때는 먼저 메일이나 문자를 보낸다. 그리고 전화로도 연락한다. 다들 바쁘기에 메시지만 보내놓으면 읽음 처리되고 일이 진행되지 않는다. 전화로 한 번 더 상기시켜줘야 일이 빠르게 진행된다.

점심시간

우리 회사 건물에는 구내식당이 있다. 그래서 입주해서 오랫동안 이 건물에 머무르고 있다. 우리 회사의 입지 선정 첫

번째 기준은 건물 내에 구내식당이 있느냐이다. 그 다음이 교통이다.

구내식당이 건물 안에 있으면 장점이 많다. 식사가 대부분 15분 안에 끝난다. 밥을 빨리 먹는 경우 10분 안에 먹는 사람도 있다.

구내식당이 맛이 없을 수 있다. 메뉴 선택 폭이 적을 수도 있다. 하지만 직원들이 나가서 식당을 고르고 기다리는 것보다 휴게 시간을 많이 확보하는 것에서 더 큰 만족감을 느꼈다. 물론 사내 식당이 잘 되어 있는 곳도 많지만, 그렇지 않은 기업들도 더 많다. 이럴 경우 어떻게 점심시간을 효율적으로 보낼지 연구해봐야 한다. 편히 쉬기라도 해야 한다.

나도 신입 시절 그런 경험이 있었다. 보통은 회사 근처 식당에 가서 밥을 먹었다. 무엇을 먹을까 이야기하다 보통은 팀장이나 연장자들 중심으로 결정이 된다. 사회 초년생들은 막내인 경우가 많다. 식당에 가면 눈치껏 물도 따르고 수저도 놓아야 하기도 한다. 그리고 밥 먹고 다 같이 커피를 마시러 간다. 메뉴 주문도 거의 다 어린 사람들 몫이다. 점심시간이 그렇게 끝난다. 심지어 10~20분 늦게 사무실로 들어온다. 그러면 양치하기에도 눈치가 보인다. 팀장은 괜찮겠지만 신입들은 그렇지 않다. 타 부서 사람들이나 임원들이 본다면 좋지 않다. 스트레스다. 구내식당을 가면 이런 고민과 불편함이 없다. 휴게 시간도 많이 확보된다. 만약 외부에서 밥을 먹어야 한다면 팀장과 연장자들의 역할이 중요하다. 솔선수범으로 챙겨줘야 한다.

점심은 잘 먹어야 한다. 밥을 꼭꼭 씹어 소화를 잘 시켜야 한다. 점심시간을 어떻게 보내는지는 2시 이후 업무 효율과 직결된다.

과식해서는 안 된다. 미국은 간단하게 샌드위치로 때운다. 우리처럼 거하게 먹는 경우는 드물다.

100달러 지폐의 주인공 벤자민 프랭클린은 점심시간을 효율적으로 보내기 위해 소식을 할 정도였다. 미국인들에게 한국의 세종대왕처럼 존경받는 인물 중 한 사람이 바로 벤자민 프랭클린이다. 테슬라와 스페이스엑스의 대표 일론 머스크도 가장 존경하는 인물이 벤자민 프랭클린일 정도다.

벤자민 프랭클린은 젊은 시절 점심시간을 매우 효율적으로 사용했다. 그는 주로 빵과 같은 간단한 식사를 했다. 이러한 식사는 빠르게 끝낼 수 있어 점심시간을 절약하는 데 도움이 되었다. 당시 그의 동료들은 점심시간에 주로 술을 마시고 거하게 식사를 했다. 그래서 돈도 많이 나갔다. 프랭클린은 간단한 식사와 독서로 점심시간을 보냈다. 돈도 아꼈다. 프랭클린은 술을 마시지 않았다. 대신 빵과 물로 점심을 해결하며 절약한 돈과 시간을 독서에 투자했다. 이렇게 함으로써 초졸 학력의 그는 자기계발을 지속할 수 있었다.

프랭클린은 젊었을 때 시간 관리에 매우 철저했다. 그의 자서전에는 "시간은 돈이다"라는 유명한 문구가 등장한다. 그는 시간을 최대한 효율적으로 사용하기 위해 하루 일과를 세밀하게 계획하고 이를 엄격하게 따르려고 평생을 노력했다. 점심시간도 예외는 아니었다. 간단한 식사와 독서를 통해 점심시간을 생산적으로 활용한 것이다.

실수나 지적 받은 부분은 반복하지 않도록 하자.

신입사원의 경우 내가 이 회사에 기여하겠다는 열정을 가지고 들어오는 사람이 많다. 그 때문에 어떻게든 회사에 기여하고 능력을 보여줘야 한다는 생각을 갖는 경우가 많은 것 같다. 이런 생각을 가지면서 부담을 느끼는 경우가 있는데 차라리 업무적으로 실수를 하거나 지적을 받은 부분을 반복하지 않고 고치려는 노력을 하도록 하자.

한 신입사원의 경우 자신의 유능함을 어필하고 싶은 마음이었는지 회사의 문제점 해결 방안, 새로운 기획 등을 제시했었다. 그러나 그 사원은 업무적으로 실수를 하는 부분이 많았고 상사로부터 지적을 받은 부분이 많았다. 그럼에도 실수, 지적 받은 부분을 고치려는 노력을 하지 않고 말로만 하지 않는다고 말하며 이를 대수롭지 않게 여겼다. 이에 대해 동료와 상사들은 해당 사원의 실수를 처리하고 개선 사항들에 대해 자주 지적을 하게 되면서 업무에 효율성이 떨어지게 되었다.

흔히 남녀의 연애에서도 잘하려고 하는 것보다 하지 말라는 것을 하지 않는 것이 더 중요하다 하지 않는가. 직장에서도 이는 똑같다고 보면 된다. 업무적 실수, 지적 사항들에 대해서는 재발하지 않도록 노력하는 것이 중요하다. 또 이를 반복하지 않는다면 상사나 동료로부터 자신의 문제를 개선할 줄 아는 사람으로 인식하여 긍정적인 인상을 심어줄 수 있다.

상사는 당신을 미워해서 지적하는 것이 아니다.

신입사원들을 교육하거나 팀장 분들과 대화를 하다 보면 지적을 하는 것에 대해 상당히 부담스러워 한다는 것을 알 수 있었다. 사원들은 지적을 당하면 업무적으로 자신의 능력이 없는 것 같다는 자신감이 떨어진다는 기분을 느끼며 더 나아가서는 상사가 자신에 대해 좋은 평가를 하고 있지 않다고 느낀다.

팀장들은 업무의 개선이 필요한 부분, 부족한 부분이 있어 언급을 하면 신입사원이 자신을 대하는 태도가 괜히 안 좋아지는 것 같고 괜히 자기가 나쁜 사람이 되는 것 같다는 말을 자주 한다.

신입사원들에게 알려주고 싶은 점은 상사는 당신이 미워서, 업무를 못해서 지적을 하는 것이 아니다. 상사의 표현에 따라 다를 수 있지만 대부분의 팀장분들과 이야기해보면 그 사람이 싫어서, 일을 못해서 지적을 하는 것보다는 자신의 입장에서 일에 대한 개선점이 보이거나 일을 방향성이 다를 경우 이를 좀 더 좋은 방향으로 나아갈 수 있도록 이야기를 하는 경우가 많다.

일부 신입사원의 경우 지적을 받고 나면 상사에 대한 태도가 달라지는 사람들이 있는데 제발 그러지 않기를 바란다. 일 적으로 지적 받은 부분에 대해서는 감정적인 내용은 지우고 지적을 받은 부분을 이해하고 어떻게 하면 개선을 할 수 있는지 고민을 해서 자신의 업무적인 능력을 높일 수 있는 기회로 만들도록 하자.

일이 없는 것을 티 내지 말자

드물긴 하지만 회사에서 본인에게 주어진 일이 다 끝나는 경우가 있다. 그럴 경우 우선 정말로 본인의 주어진 업무가 다 끝난 것인지 확인해보자. 업무 체크 리스트들을 다시 한 번 확인하면서 누락된 업무가 있는지 확인하면 놓칠 수 있는 업무를 파악할 수 있다.

하지만 아무리 업무 리스트를 확인해봐도 본인에게 주어진 업무가 그날 다 끝이 난 경우가 있을 수 있다. 이런 경우 신입사원들은 크게 두 부류로 나뉜다. 한 부류는 본인이 할 일이 다 끝났으니까 자리에 가만히 있거나 딴 짓을 하는 경우이다. 이 경우에는 회사의 생산성 입장에서도 좋지 않으며 사원 본인에게도 업무적 발전에 도움이 되지 않는다.

다른 부류는 자신이 진행한 업무들을 정리하거나 상사나 동료에게 추가로 진행이 필요한 업무가 있다면 본인이 담당해 처리하는 부류이다. 이 부류는 회사 입장에서도 업무의 생산성이 높아지게 만들어주고 상사, 동료에게도 본인의 일처리 능력을 간접적으로 입증할 수 있다.

만약 업무를 다 끝냈는데 다른 업무를 처리할 시간이 애매하다면 업무에 연관된 정보나 레퍼런스를 찾는 것을 추천한다. 업무에 집중하느라 신경 쓰지 못한 업계의 트렌드나 정보를 파악할 수 있고 이를 통해 업무적 창의성을 높일 수 있다.

회사의 일을 회사 밖까지 가져오지 말자.

정확히 이야기하면 회사 일, 회사에서 있었던 일들을 퇴근하고 나서까지 생각을 하지 말자. 일을 하면서 회사에서의 자신의 모습이 만족스럽지 못해서 자존감이 낮은 사원의 모습을 간혹 볼 수 있었다. 그리고 이야기해보면 퇴근을 해서도 회사에서의 일 때문에, 자신이 잘 하지 못한 일들이 있으면 계속 그 생각이 떠올라서 스트레스를 받는다고 한다.

신입사원뿐만 아니라 대한민국의 많은 직장인들이 직장에서의 일 때문에 스트레스를 받는다고 한다. 이럴 때 나는 회사에서의 일을 회사 밖에 가져오지 말라고 조언을 한다. 마치 전원 플러그를 뽑듯이 회사를 나오면 회사 모드를 꺼버려서 회사 생각을 일상에 가져오지 않는 연습을 하면 회사 일에 대한 걱정 등의 스트레스 요인들을 생각하는 빈도가 줄어들게 만든다.

또 다른 방법 중 하나로 적절한 취미 생활을 갖는 것도 추천한다. 자신이 재미있어 하는 취미 생활을 하면서 몰입을 하는 시간을 가지면 그 시간 동안에는 긴장이 풀리게 되며 성취감이나 즐거움 등 스트레스를 완화시키는 감정들이 나와 몸과 마음을 충전하는데 도움이 된다. 실제로 긍정적인 태도로 회사를 다니는 사원들을 주변에서 보면 러닝, 클라이밍, 독서 등 자신만의 취미 생활을 가진 경우가 많았다.

또 다른 방법으로는 일기를 써보라고 말을 한다. 평범한 일기 형식보다는 업무에 대한 일기를 써보는 것인데 안 좋았던 일, 좋았던 일, 다음으로 해야 할 일을 낙서하듯이 써보면 자신이 직면한 일들을 객관적으로 바라볼 수 있게 도와주고 쓰는 활동을 통해서 일종의 후련함을 느낄 수 있다.

책을 마무리하며

이 책을 통해 신입사원, 미래의 신입사원들이 직장에서 겪을 다양한 상황에 대해 좀 더 명확한 이해와 대비책을 마련할 수 있었기를 바란다.

신입사원 시절은 누구에게나 쉽지 않은 시기이다. 낯선 환경과 새로운 사람들, 그리고 익숙해지지 않은 업무들이 때로는 부담스럽고 두렵게 다가올 수 있다. 그러나 이런 순간이야말로 여러분이 성장하고 발전할 수 있는 기회임을 기억하기를 바란다.

성공적인 신입사원이 되기 위해서는 단순히 업무 능력만이 아니라, 소통 능력, 협력 정신, 그리고 자기 자신을 돌보는 능력도 중요하다. 이 책에서 제시한 다양한 조언과 전략들이 여러분의 직장 생활에 실질적인 도움이 되기를 진심으로 바란다. 또한, 이 책을 통해 자신감을 얻고, 어떤 어려움이 닥쳐도 당당히 맞설 수 있는 힘을 기르기를 바란다.

신입사원은 커리어의 첫 걸음이며 단지 시작일 뿐이다. 앞으로의 커리어가 어떻게 될 것인지는 여러분의 손에 달려 있다. 끊임없이 배우고, 성장하며, 자신의 가치를 높여나가는 과정에서 이 책이 작은 디딤돌이 되었기를 바란다. 여러분의 도전과 열정이 빛을 발하고, 그로 인해 더 나은 내일을 만들어 나갈 수 있기를 늘 기원한다.

모든 신입사원들이 자신만의 길을 찾아 나가며, 각자의 꿈을 실현해 나가는 그날까지 응원하며 밝은 미래를 위해 건투를 빈다.

조대용

직장에서 중요한 것은 책임감, 문제 해결 능력, 그리고 실행력이다

조대용 팀장은 몇 년 전에 인턴으로 우리 회사에 들어왔다. 높은 경쟁률을 뚫고 정직원이 되었다. 우리 회사는 직원 선발에 심혈을 기울인다. 아무나 뽑지 않는다. 평생 함께할 수 있는 사람만 뽑는다. 이직을 하더라도 서로 응원할 수 있는 사람을 뽑는다. 그 해에는 여러 명의 인턴이 있었지만,

조대용 팀장은 모두를 제치고 유일하게 정직원으로 입사했다. 지금은 팀장으로서 여러 팀원을 통솔한다. 이번에는 그와 함께 책도 쓰게 되었다. 그가 유일하게 정직원으로 선발되고 팀장으로 성장할 수 있었던 이유는 간단하다. 그는 마치 '가르시아 장군에게 보내는 편지'에 나오는 로완 중위처럼 일을 하기 때문이다.

'가르시아 장군에게 보내는 편지'는 앨버트 허버드가 쓴 수필로, 지금으로부터 100여 년 전에 출간되었다. 현재까지 무려 1억 부 이상이 팔린 세계적인 베스트셀러다. 미국이 스페인으로부터 쿠바를 독립시키기 위해 전쟁을 치를 때의 실화를 배경으로 쓴 이야기다. 미국 대통령은 쿠바군 지도자인 가르시아 장군의 도움을 받기 위해 전령을 보내야 했다. 그러나 울창한 쿠바 정글 속 이곳저곳을 누비며 옮겨 다니는 그의 거처를 알아내기란 쉬운 일이 아니었다. 임무를 부여 받은 로완 중위는 편지를 품에 넣자마자 곧바로 길을 떠났다. 저자는 로완이 대통령으로부터 편지를 받고 "어느 곳에 그가 있습니까?"라고 묻지 않았다는 점을 강조한다. 사실 저런 말은 무의식 중에 '이런 어려운 일을 어떻게 해?'라는 생각에서 시작되는 경우가 많다. 반사적으로 나오는 것이다. 저자는 로완 중위가 주어진 임무를 스스로 해결하겠다고 마음먹고, 불가능해 보이는 일이지만 불평하지 않고 즉시 행동으로 옮기는 진취적인 자세에 주목한 것이다. 그렇게 그는 임무를 받아들여, 가르시아 장군에게 메시지를 전달하는 데 성공한다.

상명하복을 이야기하는 것이 아니다. 이는 책임감과 주도성에 대한 이야기다. 목표를 달성하기 위해서는 의지와 결단력이 중요하다. 자신의 임무를 완수하기 위해 모든 어려움을 극복해 내는 각오와 용기가 있어야 한다. 힘든 일이 주어졌을 때, 불평은 누구나 쉽게 할 수 있다. 하지만 행동은 어렵다. 마음에 들지 않으면 대안을 내고 개선하면 된다. 대부분의 사람은 대놓고 말할 용기조차 없다. 그래서 뒤에서 이야기한다. 팀장과 대표에게 직언하고 대안을 내놓고 개선하려는 노력의 의지도, 역량도, 실행력도 없다.

사실 불평만 하면 다행이다. 그들은 상사와 회사를 비난한다. 특히 게으르고 의지가 없는 사람들이 비슷한 행동 패턴을 보인다. 불평을 넘어서 남을 탓한다. 조직을 비방하고 부정적인 사고를 주변에 퍼뜨린다. 안 되는 이유와 남에 대한 안 좋은 소리를 한다. 입으로 직접 말하지 않아도 주변 사람들은 다 안다. 말투, 표정, 손짓 등 비언어적 행동에서 모두 드러난다. 이해는 한다. 그래야만 자신의 존재 가치를 입증할 수 있기 때문이다. 자신의 무능력을 합리화하는 행동인 것이다. '나는 유능한데 회사가 나를 못 받쳐 주네' 혹은 '저 사람들이 이상하네'라고 말로만 떠드는 것이다. 하지만 진짜 능력자는 묵묵히 자신이 할 수 있는 것에 집중하고 실행한다. 우둔해 보일 정도로 행동한다. 이는 큰 용기와 노력을 필요로 한다. 쉬운 일이 아니다.

만약 오늘 당신의 상사가 책을 한 권 함께 쓰자고 한다면 당신은 어떤 반응을 보이겠는가? "책을 꼭 써야 하나요?", "제가 책을 어떻게 쓰나요?", "인쇄는 어떻게 하나요?" 혹시 이런 말들이 반사적으로 나오고 있지 않은가? 내가 이번 책을 공동집필 하자고 했을 때, 조대용 팀장은 한 번도 저런 질문을 하지 않았다. 비슷한 말조차도 없었다. 그가 제일 처음 한 행동은 탁상달력을 꺼내 출간일로 예정한 날짜에 표시를 하는 것이었다. 그리고 그날까지 책이 인쇄되어 나오는 데만 집중했다. 모르는 것은 검색하고 찾아서 공부했다. 그리고 지금 보고 있는 것이 그 결과물이다. 당신은 어떠한

유형의 직장인인가? 비겁한가? 변명만 늘어놓는가? 용기가 있는가? 바로 실행하는가?

나준규